义务教育教科书

语文

八年级
下册

教育部组织编写

总主编　温儒敏

人民教育出版社

·北京·

总 主 编：温儒敏

初中主编：王本华（执行） 曹文轩 顾之川 张笑庸

编写人员：（以姓氏笔画为序）

        王 涧 王 漫 陈尔杰 胡 晓

        顾之川 韩 涵 靳 彤 翟小宁

责任编辑：李世中 陈恒舒

美术编辑：张 蓓 惠凌峰

义务教育教科书 语文 八年级 下册

教育部组织编写

出 版   人民教育出版社

    （北京市海淀区中关村南大街 17 号院 1 号楼 邮编：100081）

网 址   http://www.pep.com.cn

重 印   北方联合出版传媒（集团）股份有限公司

发 行   辽宁省新华书店

印 刷   辽宁新华印务有限公司

版 次   2017 年 12 月第 1 版

印 次   2020 年 12 月第 4 次印刷

开 本   787 毫米×1092 毫米 1/16

印 张   9.25

字 数   163 千字

书 号   ISBN 978-7-107-32361-4

定 价   9.20 元

目　录

第一单元　　　阅读　　　　1　社戏 / 鲁迅　　　　　　　　　　2

　　　　　　　　　　　　　2　回延安 / 贺敬之　　　　　　　10

　　　　　　　　　　　　　3* 安塞腰鼓 / 刘成章　　　　　　16

　　　　　　　　　　　　　4* 灯笼 / 吴伯箫　　　　　　　　19

　　　　　　写作　　　　　学习仿写　　　　　　　　　　　23

　　　　　　口语交际　　　应对　　　　　　　　　　　　　25

第二单元　　　阅读　　　　5　大自然的语言 / 竺可桢　　　　28

　　　　　　　　　　　　　6　阿西莫夫短文两篇　　　　　　33

　　　　　　　　　　　　　　　恐龙无处不有

　　　　　　　　　　　　　　　被压扁的沙子

　　　　　　　　　　　　　7* 大雁归来 / 利奥波德　　　　　39

　　　　　　　　　　　　　8* 时间的脚印 / 陶世龙　　　　　43

　　　　　　写作　　　　　说明的顺序　　　　　　　　　47

　　　　　　综合性学习

　　　　　　　　　　　　　倡导低碳生活　　　　　　　　　49

第三单元　　　阅读　　　　9　桃花源记 / 陶渊明　　　　　　54

　　　　　　　　　　　　　10　小石潭记 / 柳宗元　　　　　58

　　　　　　　　　　　　　11* 核舟记 / 魏学洢　　　　　　60

12　《诗经》二首 · 63
　　　　　　　关雎
　　　　　　　蒹葭

写作　　　学写读后感 · 66

综合性学习
　　　　古诗苑漫步 · 68
名著导读
　　　　《傅雷家书》　选择性阅读 · · · · · · · · · · · 71
课外古诗词诵读 · 75
　　　　式微 /《诗经·邶风》
　　　　子衿 /《诗经·郑风》
　　　　送杜少府之任蜀州 / 王勃
　　　　望洞庭湖赠张丞相 / 孟浩然

第四单元　　活动·探究
任务一　　学习演讲词 · 78
　　　　13　最后一次讲演 / 闻一多 · · · · · · · · · · 79
　　　　14　应有格物致知精神 / 丁肇中 · · · · · · 82
　　　　15　我一生中的重要抉择 / 王选 · · · · · · 85
　　　　16　庆祝奥林匹克运动复兴 25 周年 / 顾拜旦 89
任务二　　撰写演讲稿 · 92
任务三　　举办演讲比赛 · · · · · · · · · · · · · · · · · · · 93

第五单元　　阅读　　17　壶口瀑布 / 梁衡 · · · · · · · · · · · · · · · · 96
　　　　　　　　　　18　在长江源头各拉丹冬 / 马丽华 · · · 100
　　　　　　　　　　19*　登勃朗峰 / 马克·吐温 · · · · · · · · · 104
　　　　　　　　　　20*　一滴水经过丽江 / 阿来 · · · · · · · · 108
写作　　　学写游记 · 111

口语交际　即席讲话 · 113

第六单元

阅读　21　《庄子》二则　　　116
　　　　　北冥有鱼
　　　　　庄子与惠子游于濠梁之上

　　　　22　《礼记》二则　　　119
　　　　　虽有嘉肴
　　　　　大道之行也

　　　　23* 马说 / 韩愈　　　122

　　　　24　唐诗三首　　　124
　　　　　石壕吏 / 杜甫
　　　　　茅屋为秋风所破歌 / 杜甫
　　　　　卖炭翁 / 白居易

写作　　学写故事　　　128

综合性学习
　　　以和为贵　　　130

名著导读
　　　《钢铁是怎样炼成的》 摘抄和做笔记　　　134

课外古诗词诵读　　　139
　　　题破山寺后禅院 / 常建
　　　送友人 / 李白
　　　卜算子·黄州定慧院寓居作 / 苏轼
　　　卜算子·咏梅 / 陆游

注：阅读单元的课文分"教读"和"自读"两类，篇名前标有*的为"自读"课文。"活动·探究"单元的课文原则上以学生自读为主。

第一单元

民俗是民间流行的习俗、风尚，是由民众创造并世代传承的民间文化。本单元的课文，或表现各地风土人情，或展示传统文化习俗。我们能够从中看到一幅幅民俗风情画卷，感受到多样的生活方式和多彩的地域文化，更好地理解民俗的价值和意义。

学习本单元，要注意体会作者是如何根据需要综合运用多种表达方式的；还要注意感受作者寄寓的情思，品味作品中富于表现力的语言。

1 社 戏①

鲁 迅

预 习

◎ 社戏是中国农村举行迎神赛会或岁时节庆时所演的戏，在江南尤为盛行。了解一下你家乡类似的民俗活动，讲给同学们听。

◎ 文章结尾写道："真的，一直到现在，我实在再没有吃到那夜似的好豆，——也不再看到那夜似的好戏了。"作者为什么这样写？带着这个问题通读全文，了解课文的主要内容。

我们鲁镇的习惯，本来是凡有出嫁的女儿，倘自己还未当家，夏间便大抵回到母家去消夏②。那时我的祖母虽然还康健，但母亲也已分担了些家务，所以夏期便不能多日的归省③了，只得在扫墓完毕之后，抽空去住几天，这时我便每年跟了我的母亲住在外祖母的家里。那地方叫平桥村，是一个离海边不远，极偏僻的，临河的小村庄；住户不满三十家，都种田，打鱼，只有一家很小的杂货店。但在我是乐土：因为我在这里不但得到优待，又可以免念"秩秩斯干幽幽南山④"了。

和我一同玩的是许多小朋友，因为有了远客，他们也都从父母那里得了减少工作的许可，伴我来游戏。在小村里，一家的客，几乎也就是公共的。我们年纪都相仿，但论起行辈⑤来，却至少是叔子，有几个还是太公⑥，因为他们合村都同姓，是本家。然而我们是朋友，即使偶而吵闹起来，打了太公，一

---

① 选自《呐喊》（《鲁迅全集》第一卷，人民文学出版社2005年版）。有删节。社，在绍兴指一种居住区域，社戏就是社中每年所演的"年规戏"。

② 〔消夏〕避暑。

③ 〔归省（xǐng）〕指出嫁的女儿回娘家看望父母。省，探望、问候（多指对尊长）。

④ 〔秩秩斯干（gān）幽幽南山〕语出《诗经·小雅·斯干》。意思是潺潺的山涧水，深远的南山。秩秩，水流动的样子。斯，这个。干，山涧。幽幽，深远的样子。旧时孩子上学一般要背诵《诗经》中的一些诗篇。

⑤ 〔行（háng）辈〕辈分。

⑥ 〔太公〕对曾祖父一辈人的称呼。

村的老老小小，也决没有一个会想出"犯上①"这两个字来，而他们也百分之九十九不识字。

我们每天的事情大概是掘蚯蚓，掘来穿在铜丝做的小钩上，伏在河沿上去钓虾。虾是水世界里的呆子，决不惮用了自己的两个钳捧着钩尖送到嘴里去的，所以不半天便可以钓到一大碗。这虾照例是归我吃的。其次便是一同去放牛，但或者因为高等动物了的缘故罢，黄牛水牛都欺生，敢于欺侮我，因此我也总不敢走近身，只好远远地跟着，站着。这时候，小朋友们便不再原谅我会读"秩秩斯干"，却全都嘲笑起来了。

至于我在那里所第一盼望的，却在到赵庄去看戏。赵庄是离平桥村五里的较大的村庄；平桥村太小，自己演不起戏，每年总付给赵庄多少钱，算作合做的。当时我并不想到他们为什么年年要演戏。现在想，那或者是春赛②，是社戏了。

就在我十一二岁时候的这一年，这日期也看看等到了。不料这一年真可惜，在早上就叫不到船。平桥村只有一只早出晚归的航船是大船，决没有留用的道理。其余的都是小船，不合用；央人到邻村去问，也没有，早都给别人定下了。外祖母很气恼，怪家里的人不早定，絮叨起来。母亲便宽慰伊③，说我们鲁镇的戏比小村里的好得多，一年看几回，今天就算了。只有我急得要哭，母亲却竭力的嘱咐我，说万不能装模装样，怕又招外祖母生气，又不准和别人一同去，说是怕外祖母要担心。

总之，是完了。到下午，我的朋友都去了，戏已经开场了，我似乎听到锣鼓的声音，而且知道他们在戏台下买豆浆喝。

这一天我不钓虾，东西也少吃。母亲很为难，没有法子想。到晚饭时候，外祖母也终于觉察了，并且说我应当不高兴，他们太怠慢，是待客的礼数④里从来所没有的。吃饭之后，看过戏的少年们也都聚拢来了，高高兴兴的来讲戏。只有我不开口；他们都叹息而且表同情。忽然间，一个最聪明的双喜大悟似的提议了，他说，"大船？八叔的航船不是回来了么？"十几个别的少年也大悟，立刻撺掇⑤起来，说可以坐了这航船和我一同去。我高兴了。然而外祖母又怕都是孩子们，不可靠；母亲又说是若叫大人一同去，他们白天全有工

---

① 〔犯上〕触犯长辈或者地位比自己高的人。
② 〔春赛〕春天举行的赛会。
③ 〔伊〕第三人称代词，"五四"时期的文章里

常用来指女性。
④ 〔礼数〕礼节。
⑤ 〔撺掇（cuānduo）〕从旁鼓动人做某事。

作，要他熬夜，是不合情理的。在这迟疑之中，双喜可又看出底细来了，便又大声的说道，"我写包票①！船又大；迅哥儿向来不乱跑；我们又都是识水性的！"

诚然！这十多个少年，委实没有一个不会凫水②的，而且两三个还是弄潮的好手③。

外祖母和母亲也相信，便不再驳回，都微笑了。我们立刻一哄的出了门。

我的很重的心忽而轻松了，身体也似乎舒展到说不出的大。一出门，便望见月下的平桥内泊着一支白篷的航船，大家跳下船，双喜拔前篙，阿发拔后篙，年幼的都陪我坐在舱中，较大的聚在船尾。母亲送出来吩咐"要小心"的时候，我们已经点开船，在桥石上一磕，退后几尺，即又上前出了桥。于是架起两支橹④，一支两人，一里一换，有说笑的，有嚷的，夹着潺潺的船头激水的声音，在左右都是碧绿的豆麦田地的河流中，飞一般径向赵庄前进了。

两岸的豆麦和河底的水草所发散出来的清香，夹杂在水气中扑面的吹来；月色便朦胧在这水气里。淡黑的起伏的连山，仿佛是踊跃的铁的兽脊似的，都远远地向船尾跑去了，但我却还以为船慢。他们换了四回手，渐望见依稀的赵庄，而且似乎听到歌吹了，还有几点火，料想便是戏台，但或者也许是渔火。

那声音大概是横笛，宛转，悠扬，使我的心也沉静，然而又自失⑤起来，觉得要和他弥散在含着豆麦蕴藻⑥之香的夜气里。

那火接近了，果然是渔火；我才记得先前望见的也不是赵庄。那是正对船头的一丛松柏林，我去年也曾经去游玩过，还看见破的石马倒在地下，一个石羊蹲在草里呢。过了那林，船便弯进了叉港⑦，于是赵庄便真在眼前了。

最惹眼的是屹立在庄外临河的空地上的一座戏台，模胡在远处的月夜中，和空间几乎分不出界限，我疑心画上见过的仙境，就在这里出现了。这时船走得更快，不多时，在台上显出人物来，红红绿绿的动，近台的河里一望乌黑的是看戏的人家的船篷。

"近台没有什么空了，我们远远的看罢。"阿发说。

这时船慢了，不久就到，果然近不得台旁，大家只能下了篙，比那正对

---

① 〔写包票〕也称"打包票"，表示对某件事情有绝对把握。包票，保证书一类的东西。

② 〔凫（fú）水〕游泳。

③ 〔弄潮的好手〕懂得水性、善于游水驾船的人。弄潮，在潮水中搏击、嬉戏。

④ 〔橹（lǔ）〕比桨长而大的划船工具。

⑤ 〔自失〕指听得出神而忘了自己。

⑥ 〔蕴藻〕水草。

⑦ 〔叉（chà）港〕和大河相通的小河道。

戏台的神棚①还要远。其实我们这白篷的航船，本也不愿意和乌篷的船②在一处，而况并没有空地呢……

在停船的匆忙中，看见台上有一个黑的长胡子的③背上插着四张旗，捏着长枪，和一群赤膊的人正打仗。双喜说，那就是有名的铁头老生④，能连翻八十四个筋斗，他日里⑤亲自数过的。

我们便都挤在船头上看打仗，但那铁头老生却又并不翻筋斗，只有几个赤膊的人翻，翻了一阵，都进去了，接着走出一个小旦来，咿咿呀呀的唱。双喜说，"晚上看客少，铁头老生也懈了，谁肯显本领给白地⑥看呢？"我相信这话对，因为其时台下已经不很有人，乡下人为了明天的工作，熬不得夜，早都睡觉去了，疏疏朗朗的站着的不过是几十个本村和邻村的闲汉。乌篷船里的那些土财主的家眷固然在，然而他们也不在乎看戏，多半是专到戏台下来吃糕饼、水果和瓜子的。所以简直可以算白地。

然而我的意思却也并不在乎看翻筋斗。我最愿意看的是一个人蒙了白布，两手在头上捧着一支棒似的蛇头的蛇精，其次是套了黄布衣跳老虎。但是等了许多时都不见，小旦虽然进去了，立刻又出来了一个很老的小生。我有些疲倦了，托桂生买豆浆去。他去了一刻，回来说，"没有。卖豆浆的聋子也回去了。日里倒有，我还喝了两碗呢。现在去舀一瓢水来给你喝罢。"

我不喝水，支撑着仍然看，也说不出见了些什么，只觉得戏子的脸都渐渐的有些稀奇了，那五官渐不明显，似乎融成一片的再没有什么高低。年纪小的几个多打呵欠了，大的也各管自己谈话。忽而一个红衫的小丑被绑在台柱子上，给一个花白胡子的用马鞭打起来了，大家才又振作精神的笑着看。在这一夜里，我以为这实在要算是最好的一折⑦。

然而老旦终于出台了。老旦本来是我所最怕的东西，尤其是怕他坐下了唱。这时候，看见大家也都很扫兴，才知道他们的意见是和我一致的。那老旦当初还只是踱来踱去的唱，后来竟在中间的一把交椅⑧上坐下了。我很担心；

---

① 〔神棚〕演戏时搭的供奉神像的棚。
② 〔乌篷的船〕即"乌篷船"，船篷是用黑油涂过的。
③ 〔一个黑的长胡子的〕一个涂成黑脸挂着长胡子的演员。
④ 〔铁头老生〕那个演员的外号。老生，戏曲行当之一，扮演中年以上男子。下文的"小

旦""小生""小丑""老旦"也都是戏曲行当，分别扮演年轻女子、年轻男子、滑稽人物、老年女子。
⑤ 〔日里〕白天。
⑥ 〔白地〕空地。
⑦ 〔一折〕一出，一场。
⑧ 〔交椅〕这里指靠背比较大、有扶手的椅子。

双喜他们却就破口喃喃的骂。我忍耐的等着，许多工夫，只见那老旦将手一抬，我以为就要站起来了，不料他却又慢慢的放下在原地方，仍旧唱。全船里几个人不住的吁气，其余的也打起呵欠来。双喜终于熬不住了，说道，怕他会唱到天明还不完，还是我们走的好罢。大家立刻都赞成，和开船时候一样踊跃，三四人径奔船尾，拔了篙，点退几丈，回转船头，架起橹，骂着老旦，又向那松柏林前进了。

月还没有落，仿佛看戏也并不很久似的，而一离赵庄，月光又显得格外的皎洁。回望戏台在灯火光中，却又如初来未到时候一般，又漂渺①得像一座仙山楼阁，满被红霞罩着了。吹到耳边来的又是横笛，很悠扬；我疑心老旦已经进去了，但也不好意思说再回去看。

不多久，松柏林早在船后了，船行也并不慢，但周围的黑暗只是浓，可知已经到了深夜。他们一面议论着戏子，或骂，或笑，一面加紧的摇船。这一次船头的激水声更其响亮了，那航船，就像一条大白鱼背着一群孩子在浪花里蹿，连夜渔②的几个老渔父，也停了艇子看着喝采起来。

离平桥村还有一里模样，船行却慢了，摇船的都说很疲乏，因为太用力，而且许久没有东西吃。这回想出来的是桂生，说是罗汉豆③正旺相④，柴火又现成，我们可以偷一点来煮吃的。大家都赞成，立刻近岸停了船；岸上的田

①〔漂渺〕隐隐约约，若有若无。现在写作"缥缈"。
②〔夜渔〕夜间捕鱼。
③〔罗汉豆〕蚕豆。
④〔旺相〕茂盛。

里，乌油油的便都是结实的罗汉豆。

"阿阿，阿发，这边是你家的，这边是老六一家的，我们偷那一边的呢？"双喜先跳下去了，在岸上说。

我们也都跳上岸。阿发一面跳，一面说道，"且慢，让我来看一看罢。"他于是往来的摸了一回，直起身来说道，"偷我们的罢，我们的大得多呢。"一声答应，大家便散开在阿发家的豆田里，各摘了一大捧，抛入船舱中。双喜以为再多偷，倘给阿发的娘知道是要哭骂的，于是各人便到六一公公的田里又各偷了一大捧。

我们中间几个年长的仍然慢慢的摇着船，几个到后舱去生火，年幼的和我都剥豆。不久豆熟了，便任凭航船浮在水面上，都围起来用手撮①着吃。吃完豆，又开船，一面洗器具，豆荚豆壳全抛在河水里，什么痕迹也没有了。双喜所虑的是用了八公公船上的盐和柴，这老头子很细心，一定要知道，会骂的。然而大家议论之后，归结是不怕。他如果骂，我们便要他归还去年在岸边拾去的一枝枯柏树②，而且当面叫他"八癞子"。

"都回来了！那里会错。我原说过写包票的！"双喜在船头上忽而大声的说。

我向船头一望，前面已经是平桥。桥脚上站着一个人，却是我的母亲，双喜便是对伊说着话。我走出前舱去，船也就进了平桥了，停了船，我们纷纷都上岸。母亲颇有些生气，说是过了三更了，怎么回来得这样迟，但也就高兴了，笑着邀大家去吃炒米。

大家都说已经吃了点心，又渴睡③，不如及早睡的好，各自回去了。

第二天，我向午④才起来，并没有听到什么关系八公公盐柴事件的纠葛，下午仍然去钓虾。

"双喜，你们这班小鬼，昨天偷了我的豆了罢？又不肯好好的摘，踏坏了不少。"我抬头看时，是六一公公棹着小船，卖了豆回来了，船肚里还有剩下的一堆豆。

"是的。我们请客。我们当初还不要你的呢。你看，你把我的虾吓跑了！"双喜说。

六一公公看见我，便停了楫⑤，笑道，"请客？——这是应该的。"于是对

---

① 〔撮（cuō）〕用手指捏取细碎的东西。
② 〔柏（jiù）树〕也叫"乌柏"，一种落叶乔木。
③ 〔渴睡〕瞌睡。
④ 〔向午〕将近中午。
⑤ 〔楫（jí）〕桨。

我说，"迅哥儿，昨天的戏可好么？"

我点一点头，说道，"好。"

"豆可中吃呢？"

我又点一点头，说道，"很好。"

不料六一公公竟非常感激起来，将大拇指一翘，得意的说道，"这真是大市镇里出来的读过书的人才识货！我的豆种是粒粒挑选过的，乡下人不识好歹，还说我的豆比不上别人的呢。我今天也要送些给我们的姑奶奶①尝尝去……"他于是打着楫子过去了。

待到母亲叫我回去吃晚饭的时候，桌上便有一大碗煮熟了的罗汉豆，就是六一公公送给母亲和我吃的。听说他还对母亲极口夸奖我，说"小小年纪便有见识，将来一定要中状元。姑奶奶，你的福气是可以写包票的了。"但我吃了豆，却并没有昨夜的豆那么好。

真的，一直到现在，我实在再没有吃到那夜似的好豆，——也不再看到那夜似的好戏了。

一九二二年十月。

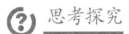 思考探究

一　通读全文，仿照示例，用四字短语概括本文所写的几件事。

月夜行船

二　作者在叙述事件的过程中，融合了描写、抒情、议论等多种表达方式。以本文所写的某件事为例，具体分析这些表达方式各自的作用。

三　豆是很普通的豆，戏也是让"我"昏昏欲睡的戏，但是文章最后却说是"好豆""好戏"，对此你是怎样理解的？

---

①〔姑奶奶〕从娘家人的角度称呼已经出嫁的姑娘。这里指"我"的母亲。

四　结合上下文，揣摩下列语句，体会"我"的心理，感受其中的童真童趣。

　　1. 到下午，我的朋友都去了，戏已经开场了，我似乎听到锣鼓的声音，而且知道他们在戏台下买豆浆喝。

　　2. 我的很重的心忽而轻松了，身体也似乎舒展到说不出的大。

　　3. 淡黑的起伏的连山，仿佛是踊跃的铁的兽脊似的，都远远地向船尾跑去了，但我却还以为船慢。

　　4. 我不喝水，支撑着仍然看，也说不出见了些什么，只觉得戏子的脸都渐渐的有些稀奇了，那五官渐不明显，似乎融成一片的再没有什么高低。

　　5. 那航船，就像一条大白鱼背着一群孩子在浪花里蹿，……

五　《社戏》原文开头部分写的是"我"成年后在剧场看中国戏的两段经历。课后阅读这些文字，体会一下，作者通过写不同的看戏经历，表达了一种怎样的情思？

读读写写

钳		撮		偏	僻	行	辈	照	例	欺	侮
宽	慰	嘱	咐	怠	慢	礼	数	撑	撬	凫	水
潺	潺	踊	跃	屹	立	家	眷	皎	洁	好	歹

2　回延安[1]

贺敬之

预习

◎　延安是中国革命的圣地。毛泽东等老一辈无产阶级革命家曾经在这里生活、工作、战斗过十余年，为中国革命胜利奠定了基础。你对延安有哪些了解和认识？与同学交流。

◎　这首诗用陕北民歌"信天游"的形式写成，使用了富有地方色彩的词语，展示出浓郁的陕北风情。朗诵全诗，体会这样的特点，并感受诗人对"母亲延安"的深情。

一

心口呀莫要这么厉害地跳，
灰尘呀莫把我眼睛挡住了……

手抓黄土我不放，
紧紧儿贴在心窝上。

……几回回[2]梦里回延安，
双手搂定宝塔山[3]。

千声万声呼唤你，
——母亲延安就在这里！

---

① 选自《贺敬之诗选》（人民文学出版社2004年版）。

② 〔几回回〕方言，一回又一回。

③ 〔宝塔山〕在延安城东南，因山上建有宝塔而得名。

杜甫川①唱来柳林铺②笑，
红旗飘飘把手招。

白羊肚手巾③红腰带，
亲人们迎过延河来。

满心话登时说不出来，
一头扑在亲人怀……

二

……二十里铺④送过柳林铺迎，
分别十年又回家中。

树梢树枝树根根，
亲山亲水有亲人。

羊羔羔吃奶眼望着妈，
小米饭养活我长大。

东山的糜子⑤西山的谷，
肩膀上的红旗手中的书。

手把手儿教会了我，
母亲打发我们过黄河。

革命的道路千万里，

---

① 〔杜甫川〕延安城南的一条小河。
② 〔柳林铺〕延安城南的一个村子。1956年，诗人
　和其他代表到延安参加西北五省（区）青年
　造林大会，在那里受到群众的欢迎。
③ 〔白羊肚（dǔ）手巾〕白毛巾。因毛巾很像
　翻过来的羊肚，所以有的地方把白毛巾叫作

"白羊肚手巾"。
④ 〔二十里铺〕延安城东的一个村子。1945年诗
　人和其他干部离开延安奔赴新的工作岗位的
　时候，延安群众曾经欢送到那里。
⑤ 〔糜（méi）子〕一种形状像小米、没有黏性
　的黍类谷物。

天南海北想着你⋯⋯

三

米酒油馍^①木炭火，
团团围定炕上坐。

满窑里围得不透风，
脑畔上^②还响着脚步声。

老爷爷进门气喘得紧：
"我梦见鸡毛信^③来——可真见亲人⋯⋯"

亲人见了亲人面，
欢喜的眼泪眼眶里转。

"保卫延安你们费了心，
白头发添了几根根。"

团支书又领进社主任^④，
当年的放羊娃如今长成人。

白生生的窗纸红窗花，
娃娃们争抢来把手拉。

一口口的米酒千万句话，
长江大河起浪花。

十年来革命大发展，

---

① 〔米酒油馍〕黍米酿的酒和油炸的黍米面饼。
② 〔脑畔上〕这里指窑洞的顶上。
③ 〔鸡毛信〕一种粘附有鸡毛以表示需要迅速传

递的紧急信件。
④ 〔社主任〕指当时农业生产合作社的主任。

说不尽这三千六百天……

四

千万条腿来千万只眼，
也不够我走来也不够我看！

头顶着蓝天大明镜，
延安城照在我心中：

一条条街道宽又平，
一座座楼房披彩虹；

一盏盏电灯亮又明，
一排排绿树迎春风……

对照过去我认不出了你，
母亲延安换新衣。

五

杨家岭①的红旗啊高高地飘，
革命万里起高潮！

宝塔山下留脚印，
毛主席登上了天安门！

枣园②的灯光照人心，
延河滚滚喊"前进"！

---

① 〔杨家岭〕延安城北的一个村子，1938年11月
　　到1947年3月中共中央的所在地。

② 〔枣园〕在延安城西北，毛泽东同志住过的
　　地方。

赤卫军①，青年团，红领巾，
走着咱英雄几辈辈人……

社会主义路上大踏步走，
光荣的延河还要在前头！

身长翅膀吧脚生云，
再回延安看母亲！

1956年3月9日，延安

？ 思考探究

一　诗人阔别延安十年，当他重新"扑"进"母亲延安"的怀抱时，那激动喜悦的心情是一般人难以体会的。朗读这首诗，概括每部分的主要内容，说说诗人是按照怎样的线索来抒发自己的情感的。

二　诗人除了直接抒情，还通过人物的动作、语言和场景描写等来间接抒发情感。试着找出相关诗句，细心揣摩其中蕴含的诗人的情感。

三　这首诗具有浓郁的地方特色，试根据下面的提示深入体会，完成练习。
　　1. 全诗采用陕北民歌"信天游"的形式，两行一节，节内押韵，形式活泼，节奏自由。试选两三个诗节做简要分析。
　　2. 诗中使用了不少具有地方特色的词语，描摹了当地的生活细节和场景。试找出几处，感受陕北的地域风俗。

○ 积累拓展

四　品味下列诗句，说说修辞手法的使用所产生的表达效果。
　　1. 千声万声呼唤你，——母亲延安就在这里！
　　2. 杜甫川唱来柳林铺笑，红旗飘飘把手招。
　　3. 千万条腿来千万只眼，也不够我走来也不够我看！

_____

① 〔赤卫军〕即"赤卫队"，指我国第二次国内革命战争时期，革命根据地内一种不脱离生产的群众武装组织。

4. 对照过去我认不出了你，母亲延安换新衣。

五　背诵这首诗。

六　延安，曾经是中共中央的所在地，是"延安精神"的发源地，也是无数人魂牵梦萦的地方。访问你的祖辈、父辈，或查找相关资料，了解"延安精神"的内涵。还可以对照这首诗，延伸阅读莫耶《延安颂》、祁念曾《延安，我把你追寻》、曹靖华《小米的回忆》、吴伯箫《记一辆纺车》等，看看这些诗文体现了怎样的"延安精神"。

三 读读写写

盏　　登时　糜子　油馍　脑畔　眼眶

语序要合理

读读下面这两个句子，看看它们存在什么问题：

（1）在学习中，我们应该注意培养自己观察问题、解决问题和分析问题的能力。

（2）这是一件珍贵的妈妈从北京买来的礼物。

这两个句子的问题都在于语序不合理。句（1）中的"观察问题、解决问题和分析问题"尽管是一组并列成分，但从逻辑上说是有先后顺序的。碰到问题，总要先"观察"，后"分析"，"分析"完了才有可能"解决"，因此正确的语序应该是"观察问题、分析问题和解决问题"。句（2）中，"礼物"有三个定语，"一件"是数量，"珍贵"是描述，"妈妈从北京买来的"是限定条件，它们的顺序有点儿乱，可改为："这是妈妈从北京买来的一件珍贵的礼物。"如果有多项定语，合理的顺序大致是：所属+数量+形容或描写。

3　安塞腰鼓①

刘成章

一群茂腾腾②的后生。

他们的身后是一片高粱地。他们朴实得就像那片高粱。

咝溜溜的南风吹动了高粱叶子，也吹动了他们的衣衫。

"沉稳而安静"，蓄势待发。

他们的神情沉稳而安静。紧贴在他们身体一侧的腰鼓，呆呆的，似乎从来不曾响过。

但是：

看！——

从沉静陡然转为热烈。体会那种动感。

一捶起来就发狠了，忘情了，没命了！百十个斜背响鼓的后生，如百十块被强震不断击起的石头，狂舞在你的面前。骤雨一样，是急促的鼓点；旋风一样，是飞扬的流苏③；乱蛙一样，是蹦跳的脚步；火花一样，是闪射的瞳仁；斗虎一样，是强健的风姿。黄土高原上，爆出一场多么壮阔、多么豪放、多么火烈的舞蹈哇——安塞腰鼓！

这腰鼓，使冰冷的空气立即变得燥热了，使恬静的阳光立即变得飞溅了，使困倦的世界立即变得亢奋④了。

使人想起：落日照大旗，马鸣风萧萧⑤！

使人想起：千里的雷声万里的闪⑥！

使人想起：晦暗⑦了又明晰，明晰了又晦暗，

---

① 选自1986年10月3日《人民日报》。略有改动。
② 〔茂腾腾〕陕北方言，形容有活力的样子。
③ 〔流苏〕装在车马、楼台、帐幕、锦旗等上面的穗状饰物。
④ 〔亢（kàng）奋〕极度兴奋。
⑤ 〔落日照大旗，马鸣风萧萧〕语出唐杜甫《后出塞》（其二）。萧萧，形容风声。
⑥ 〔千里的雷声万里的闪〕一首信天游中的语句。
⑦ 〔晦（huì）暗〕昏暗。这里是迷惘、糊涂的意思。

尔后最终永远明晰了的大彻大悟！

容不得束缚，容不得羁绊①，容不得闭塞。是挣脱了、冲破了、撞开了的那么一股劲！

好一个安塞腰鼓！

百十个腰鼓发出的沉重响声，碰撞在四野长着酸枣树的山崖上，山崖蓦然②变成牛皮鼓面了，只听见隆隆，隆隆，隆隆。

百十个腰鼓发出的沉重响声，碰撞在遗落了一切冗杂③的观众的心上，观众的心也蓦然变成牛皮鼓面了，也是隆隆，隆隆，隆隆。

隆隆隆隆的豪壮的抒情，隆隆隆隆的严峻的思索，隆隆隆隆的犁尖翻起的杂着草根的土浪，隆隆隆隆的阵痛的发生和排解……

好一个安塞腰鼓！

后生们的胳膊、腿、全身，有力地搏击着，疾速地搏击着，大起大落地搏击着。它震撼着你，烧灼着你，威逼着你。它使你从来没有如此鲜明地感受到生命的存在、活跃和强盛。它使你惊异于那农民衣着包裹着的躯体，那消化着红豆角角老南瓜的躯体，居然可以释放出那么奇伟磅礴的能量！

黄土高原啊，你生养了这些元气淋漓的后生；也只有你，才能承受如此惊心动魄的搏击！

多水的江南是易碎的玻璃，在那儿，打不得这样的腰鼓。

除了黄土高原，哪里再有这么厚这么厚的土层啊！

好一个黄土高原！好一个安塞腰鼓！

每一个舞姿都充满了力量。每一个舞姿都呼呼作响。每一个舞姿都是光和影的匆匆变幻。每一个舞姿都使人战栗在浓烈的艺术享受中，使人叹为观止④。

"好一个安塞腰鼓！"在文中重复多次，注意体会其作用。

---

① 〔羁（jī）绊〕缠住不能脱身，束缚。羁，约束。
② 〔蓦（mò）然〕突然，猛然。
③ 〔冗杂〕繁杂。
④ 〔叹为观止〕赞美看到的事物好到了极点。

好一个痛快了山河、蓬勃了想象力的安塞腰鼓！

愈捶愈烈！形体成了沉重而又纷飞的思绪！

愈捶愈烈！思绪中不存任何隐秘！

愈捶愈烈！痛苦和欢乐，生活和梦幻，摆脱和追求，都在这舞姿和鼓点中，交织！旋转！凝聚！奔突！辐射！翻飞！升华！人，成了茫茫一片；声，成了茫茫一片……

当它戛然而止①的时候，世界出奇地寂静，以至使人感到对她十分陌生了。

简直像来到另一个星球。

耳畔是一声渺远的鸡啼。

最后一句话营造出一种怎样的意境？体会结尾的妙处。

 阅读提示

安塞腰鼓素以粗犷豪放、刚健雄浑著称。为了展现其力量之美，文章极力铺陈，写得汪洋恣肆，慷慨激昂。例如写腰鼓表演临近高潮，用"交织""旋转""凝聚""奔突""辐射""翻飞""升华"等一连串动词，令人仿佛置身于沸腾的群舞中，应接不暇。

文章句式丰富多样，短句急促有力，长句酣畅淋漓，句式的使用紧密配合氛围的变化；大量运用排比、反复、比喻等修辞手法，让充满激情的语言相互碰撞、应和，汇成一股排山倒海的气势。这是一篇适合朗读的文章，大声朗读几遍，自然能感受到其中强烈的生命律动。

三 读读写写

瞳仁	恬静	亢奋	晦暗	束缚	羁绊
闭塞	冗杂	严峻	震撼	磅礴	辐射
渺远	大彻大悟		叹为观止		戛然而止

---

① 〔戛（jiá）然而止〕声音突然中止。

4 灯笼①

吴伯箫

吴伯箫

虽不像扑灯蛾，爱光明而至焚身，小孩子喜欢火，喜欢亮光，却仿佛是天性。放在暗屋子里就哭的宝儿，点亮了灯哭声就止住了。岁梢寒夜，玩火玩灯，除夕燃滴滴金②，放焰火，是孩子群里少有例外的事。尽管大人们怕火火烛烛的危险，要说"玩火黑夜溺③炕"那种迹近恐吓的话，但偷偷还要在神龛里点起烛来。

连活活的太阳算着，一切亮光之中，我爱皎洁的月华，如沸的繁星，同一支夜晚来挑着照路的灯笼。提起灯笼，就会想起三家村的犬吠，村中老头呵狗的声音；就会想起庞大的晃荡着的影子，夜行人咕咕噜噜的私语；想起祖父雪白的胡须，同洪亮大方的谈吐；坡野里想起跳跳的磷火，村边社戏台下想起闹嚷嚷的观众，花生篮，冰糖葫芦；台上的小丑，花脸，《司马懿探山》④。真的，灯笼的缘结得太多了，记忆的网里挤着的就都是。

记得，做着公正乡绅的祖父，晚年每每被邀去五里遥的城里说事，一去一整天。回家总是很晚的。凑巧若是没有月亮的夜，长工李五和我便须应差去接。伴着我们的除了李老五的叙家常，便是一把腰刀、一具灯笼。那时自己对人情世故还不懂，好听点说，心还像素丝样纯洁，什么争讼吃官司，是不在自己意识领域的。祖父好，在路上轻易不提斡旋⑤着的情事，倒是一路数着牵牛织女星谈些进京赶考的掌故——雪夜驰马，荒郊店宿，每每令人忘路之远近。村犬遥遥向灯笼吠了，认得了是主人，近前来却又大摇其尾巴。到家常是二更

① 选自《吴伯箫散文选》（人民文学出版社1983年版）。略有改动。吴伯箫（1906—1982），原名熙成，山东莱芜人，散文家、教育家。

② 〔滴滴金〕一种烟火花炮名。点燃后，火花四溅，并不炸响。

③ 〔溺（niào）〕同"尿"。

④ 〔《司马懿探山》〕豫剧、山东梆子等地方戏曲剧种的传统剧目。讲述的是司马懿在攻打街亭前，带领两个儿子巡山查看军情的故事。

⑤ 〔斡（wò）旋〕调停，调解。

时分。不是夜饭吃完，灯笼还在院子里亮着吗？那种熙熙然庭院的静穆，是一辈子思慕着的。

"路上黑，打了灯笼去吧。"

自从远离乡井，为了生活在外面孤单地挣扎之后，像这样慈母口中吩咐的话也很久听不到了。每每想起小时候在村里上灯学①，要挑了灯笼走去挑了灯笼走回的事，便深深感到怅惘。母亲给留着的消夜食品便都是在亲手接过了灯笼去后递给自己的。为自己特别预备的那支小的纱灯，样子也还清清楚楚记在心里。虽然人已经是站在青春尾梢上的人，母亲的头发也全白了。

乡俗还愿，唱戏、挂神袍而外，常在村头高挑一挂红灯。仿佛灯柱上还照例有些松柏枝叶做点缀。挂红灯，自然同盛伏舍茶、腊八施粥一样，有着行好的意思；松柏枝叶的点缀，用意却不甚了然。真是，若有孤行客，黑夜摸路，正自四面虚惊的时候，忽然发现星天下红灯高照，总会以去村不远而默默高兴起来的吧。

唐明皇在东宫结绘彩为高五十尺的灯楼，遍悬珠玉金银而风至锵然的那种盛事②太古远了，恨无缘观赏。金吾不禁③的那元宵节张灯结彩，却曾于太平丰年在几处山城小县里凑过热闹：跟了一条龙灯在人海里跑半夜，不觉疲乏是什么，还要去看庆丰酒店的跑马灯，猜源亨油坊出的灯谜。家来④睡，不是还将一挂小灯悬在床头吗？梦都随了蜡火开花。

想起来，族姊远嫁，大送大迎，曾听过彻夜的鼓吹，看满街的灯火；轿前轿后虽不像《宋史·仪卫志》载，准有打灯笼子亲事官⑤八十人，但辉煌景象已够华贵了。那时姊家仿佛还是什么京官，于今是破落户了。进士第的官衔灯⑥该还有吧，垂珠联珑⑦的朱门却早已褪色了。

用朱红在纱灯上描宋体字，从前很引起过自己的喜悦；现在想，当时该并不是传统思想，或羡慕什么富贵荣华，而是根本就爱那种玩意，如同黑漆大

---

① 〔灯学〕有些地方称早起去学校读书或晚上到学校上自习为上灯学。

② 〔唐明皇……那种盛事〕据唐代韩鄂《岁华纪丽》卷一记载："唐玄宗于上阳宫建灯楼，高一百五十尺，悬以珠玉，微风将至，锵然成韵。"唐明皇，即唐玄宗（685—762）。本文中说"高五十尺的灯楼"，可能是作者的误记。

③ 〔金吾不禁〕指元宵节开放夜禁，允许人们终夜观灯。金吾，古代官名，掌管京城戒备防务。

④ 〔家来〕方言，即回家来。

⑤ 〔亲事官〕宋代禁军军卒，负责警戒、守卫、稽查等事务。

⑥ 〔进士第的官衔灯〕这里指悬挂在族姊家门前写有官员职衔的纱灯。族姊家可能有人中过进士，故称其宅第为"进士第"。

⑦ 〔垂珠联珑〕悬挂、装饰有连串珠玉宝石，形容宅第的奢华。

门上过年贴丹红春联一样。自然，若是纱灯上的字是"尚书府"或"某某县正堂①"之类，懂得了意思，也会觉得不凡的；但普普通通一家纯德堂的家用灯笼，可也未始②勾不起爱好来。

宫灯③，还没见过；总该有翠羽流苏④的装饰吧。假定是暖融融的春宵，西宫南内⑤有人在趁了灯光调绿嘴鹦鹉，也有人在秋千索下缓步寻一脉幽悄⑥，意味应是深长的。虽然，"……好一似扬子江，驾小舟，风狂浪大，浪大风狂⑦"的汉献帝也许有灯笼做伴，但那时人的处境可悯，蜡泪就怕数不着长了⑧。

最壮的是塞外点兵，吹角连营⑨，夜深星阑时候，将军在挑灯看剑，那灯笼上你不希望写的几个斗方大字⑩是霍骠姚⑪，是汉将李广，是唐朝裴公⑫吗？雪夜入蔡，与胡人不敢南下牧马⑬的故事是同日月一样亮起了人的耳目的。你听，正萧萧班马鸣也，我愿就是那灯笼下的马前卒。

唉，壮，于今灯笼又不够了。应该数火把，数探海灯⑭，数燎原的一把烈火！

---

① 〔正堂〕官府治事的大堂。
② 〔未始〕未必。
③ 〔宫灯〕八角或六角形的灯，每面糊绢或镶玻璃，并绘有彩色图画，下面悬挂流苏。原为宫廷使用，故名。
④ 〔翠羽流苏〕指宫灯上的各种装饰物。翠羽，翠鸟的羽毛，古代多用作饰物。
⑤ 〔西宫南内〕指宫廷。内，皇宫。
⑥ 〔幽悄（qiǎo）〕幽深寂静。
⑦ 〔好一似……浪大风狂〕传统戏曲剧目《逍遥津》中汉献帝的一句唱词。汉献帝（181—234），名刘协，东汉皇帝。
⑧ 〔蜡泪就怕数不着长了〕意思是，和汉献帝的眼泪比，蜡泪就不算长了。蜡泪，蜡烛燃烧时流下的蜡烛油。数不着，算不上。
⑨ 〔塞外点兵，吹角连营〕与下文"将军在挑灯看剑"，均出自宋辛弃疾《破阵子·为陈同甫赋壮词以寄之》："醉里挑灯看剑，梦回吹

角连营。八百里分麾下炙，五十弦翻塞外声。沙场秋点兵。"吹角连营，各个军营里接连不断地响起号角声。
⑩ 〔斗方大字〕这里指一尺见方的大字。斗方，书画所用的一尺见方的纸。
⑪ 〔霍骠（piào）姚〕即西汉名将霍去病（前140—前117）。他前后六次出击匈奴，解除了匈奴对汉王朝的威胁。曾被封为骠姚校尉，故名。
⑫ 〔裴公〕指唐代大臣裴度（765—839）。元和十一年（817），受命督师进讨淮西叛军。麾下名将李愬乘雪夜袭取蔡州，生擒叛军主帅吴元济。
⑬ 〔胡人不敢南下牧马〕语出西汉贾谊《过秦论》："乃使蒙恬北筑长城而守藩篱，却匈奴七百余里。胡人不敢南下而牧马，士不敢弯弓而报怨。"
⑭ 〔探海灯〕即探照灯。

阅读提示

灯笼，在如今人们的心中，只是孩童的玩具和节日喜庆的象征；但在电灯尚未出现和普及的时代，却是人们生活的必需品，承载着厚重的文化内涵。手中灯笼点亮，指引人们返回温暖的家中；村口红灯高照，慰藉着孤行客"四面虚惊"的心；宅第红灯高挂，则显示着主人的地位和权势。

作者写于20世纪30年代中期的这篇文章，以散文的自由笔法，抒写了他关于灯笼的一些记忆，从不同方面表达了灯笼对于自己乃至民族的重要意义。其中有文化上的：在纱灯上描红，爱的是那份雅致；对宫灯的想象，体验的是深长的历史况味。有情感上的：挑着灯笼，迎回祖父，长幼情笃；接过纱灯，上下灯学，母子情深；跟着龙灯跑个半夜，伴着小灯入梦，绽放着飞扬的青春；族姊远嫁，进士第的官衔灯映照着褪色的朱门，记录着岁月的沧桑……

作者顺着自己的思绪写来，孩童心性，往昔经历，乡情民俗，诗词典故，自然流淌出来，意绪纷繁。结尾处，情绪陡然一扬，引述历史上保家卫国的名将，表达自己做"灯笼下的马前卒"的誓愿。由此跳出个人情感圈子，升华为家国情怀的表达，情感也转而悲壮激越。阅读时，要注意作者情感的变化，体会作者与时代同呼吸、共命运的担当精神。

读读写写

争讼	领域	斡旋	静穆	思慕	怅惘
锵然	褪色	燎原	熙熙然	暖融融	
马前卒	人情世故				

学习仿写

仿写是提高作文水平的有效方法。一篇好文章，在写法上总有值得模仿、借鉴的地方。想一想，我们学过的课文是不是这样？

> 骤雨一样，是急促的鼓点；旋风一样，是飞扬的流苏；乱蛙一样，是蹦跳的脚步；火花一样，是闪射的瞳仁；斗虎一样，是强健的风姿。

《安塞腰鼓》中有许多精彩的描写，我们在描写场面时就可以模仿。

那么仿写时可以从哪些方面入手呢？

首先，可以模仿范文的篇章结构。比如张中行的《叶圣陶先生二三事》，作者由得知叶圣陶先生逝世的消息写起，回忆了关于叶圣陶先生的一些事。在写这些事情之前，先总说叶圣陶先生品德高尚，然后分别从叶圣陶先生为人"宽"和"严"两方面展开叙述。文章虽然写了不少事情，但都不出"宽"和"严"两方面，篇章结构比较清晰，这些事情并不显得杂乱。写人物时，可以模仿这样的篇章结构，围绕人物的特点，从多个方面组织材料进行刻画。

其次，还要注意模仿范文的写作手法。比如上面《安塞腰鼓》中的例句，运用了比喻的手法，将喻体放在本体前面，突出喻体，渲染了安塞腰鼓的"野性"。我们在写作中也常会用到比喻手法，不妨试着模仿这种句式，看看表达效果是否更好。又如茅盾的《白杨礼赞》，作者将自己的情感寄寓于白杨树这一客观事物，赋予它伟岸、质朴、坚强等精神气质，从而使白杨树具有了独特的象征意义。再如茨威格的《列夫·托尔斯泰》，作者采取先抑后扬的写法，先写托尔斯泰平庸甚至丑陋的外表，再赞叹他的非凡之处，前后形成一种张力，让人读后对托尔斯泰印象更为深刻。这样比较有特点的写法，适当时也可以模仿一下。

总之，学习仿写，要根据内容和表达的需要，选择和确定具体的仿写点。对于你觉得精彩的地方，要细心揣摩，想一想作者是怎么写的，为什么这样。然后再想想自己怎样去仿写，最好还能有些变通和创新。仿写只是写作入门的途径之一，想要真正把文章写好，还有待自己进一步的创造。

写作实践

一　《安塞腰鼓》中运用排比、反复、比喻等修辞手法描写黄土高原上人们打腰鼓时的场景，形成排山倒海的气势。试选择文中的一个片段，模仿其中的修辞手法，描写一个场景。200字左右。

提示：

1. 找出所选片段中使用的修辞手法，分析作者是如何使用这些修辞手法的。

2. 想想你要描写一个怎样的场景，如何使用这些修辞手法才能收到最好的效果。

二　在各类描写中，心理描写是难度较大的一种，因为它的描写对象"无影无踪"。鲁迅写"我"看社戏过程中的心情，莫顿·亨特写"我"爬下悬崖时的心态，方法不一，却都做到了真实可感。选择其中之一加以模仿，写一个心理描写的片段。200字左右。

提示：

1. 重读《社戏》《走一步，再走一步》的相关段落，归纳心理描写的方法，如综合运用直接描写与间接描写等，作为自己仿写的指导。

2. 选择自己熟悉的写作素材，最好是亲身经历过的心理历程。

三　在众多表现亲情的散文中，《背影》《秋天的怀念》都是非常典范的作品，以平实的语言叙写平凡的事件，传达真挚的情感。模仿这两篇课文的写法，写一篇作文，题目自拟。不少于600字。

提示：

1. 重读这两篇课文，借鉴其具体写法。如选择某一形象凝聚情思，推动情节，贯串全文；注意表现自己对所写人物态度、情感的变化等。

2. 注意观察，调动记忆，选取印象深刻、确有感想的事件，呈现精彩的细节。

3. 安排好文章的线索与结构，并注意综合运用多种表达方式，让文章更有表现力。

应对

  据说有一天，歌德到魏玛公园散步，正当他穿过一条仅能容一人通过的小路时，迎面走来一个批评家。两人面对面僵持了几秒钟，那个批评家傲慢地开口了："我从不给蠢货让路。"歌德平静地看了看那个人，回应道："我却正好相反。"说完，微笑着站到了一旁。

  这是巧妙应对的例子，相信每个人读后都会为歌德的机智会心一笑。在日常交往中，当有人向我们提问、建议或者质疑，采取恰当的方式做出回应，就是应对。做好应对的前提是认真聆听对方的话语，准确理解其意图，把握其观点态度。在此基础上，依据当时的话语情境，快速调动思维，迅速做出反应，就能做到随机应变、巧妙应对了。

  做好应对，首先要准确判断对方的态度。如果对方是一般性的询问，要做出客观的回答；如果是善意的玩笑、诚恳的致歉，可报以善意的幽默、自嘲；如果是恶意的刁难和讥讽，就要选择恰当的方式，给予有力的回应。据说有一天，英国著名戏剧家萧伯纳走在街上，被人骑自行车撞倒在地，好在没有大碍。肇事者扶起他，十分诚恳地向他道歉。萧伯纳则诙谐地回应道："你运气真不好，先生，如果你把我撞死，就可以名扬四海了。"这样就轻松幽默地表达了自己不介意的态度，化解了尴尬的局面。而《陈太丘与友期行》中，当友人怒骂"非人哉"时，七岁的陈元方没有示弱，回应道："君与家君期日中。日中不至，则是无信；对子骂父，则是无礼。"元方机敏、有理有据的反击，成为巧妙应对的典型。

  其次，要掌握一定的应对技巧。特别是面对一些特殊场合，如国际交往、答记者问或其他正式场合的交流等，或者遇到一些故意的刁难，就要注意采用一定的应对技巧。据说，一名外国友人曾经问周恩来总理："你们中国一共有多少钱？"周总理想了想，回答说："我们中国一共有18元8角8分钱。"当时人民币的面值有10元、5元、2元、1元、5角、2角、1角、5分、2分、1分，合起来是18元8角8分。这一应对，通过巧妙转换概念，既幽默地回答了外国友人的提问，避免了尴尬，又有效地保守了国家机密。常用的应对技巧有自嘲、归谬、巧换概念、针锋相对、转换话题等。同学们可以通过网络、报刊、书籍等搜集一些巧妙应对的例子，学习应对的技巧。

口语实践

一 阅读下面的应对案例，简要分析、评价这些名人采用的应对技巧。

　　1. 孔融十岁的时候就表现出超乎寻常的聪明才智，得到人们的赞许。有一个叫陈韪的官员却当众不以为然地说："小时了了（聪明），大未必佳。"孔融立即回应道："想君小时，必当了了。"

　　2. 一名英国女士非常喜欢钱锺书的小说《围城》，于是打电话给钱锺书请求见面。钱锺书对她说："假如你吃了个鸡蛋觉得不错，何必认识那下蛋的母鸡呢？"

　　3. 一个年轻的画家拜访德国著名的画家阿道夫·门采尔，向他诉苦说："我真不明白，为什么我画一幅画只用一会儿工夫，可卖出去要整整一年。""请倒过来试试吧，"门采尔认真地说，"要是你花一年的工夫去画它，那么只用一天就准能卖掉它。"

二 以小组为单位，任选下列一种情境（也可自己设计情境），自主设计流程，分配角色，合作完成口语交际活动。

　　情境1：21世纪初，贺敬之重回延安，有记者采访他，请他谈谈：走进新世纪的延安，有什么新的感想？如果再写一首《回延安》，会写哪些内容？

　　情境2：近几年，一些地方计划增加中高考语文试卷的分值。对此，支持和反对的人都不少。市电视台正在制作一期关于这一问题的节目，邀请几位赞成"语文加分计划"的嘉宾（包括教育专家、教师、家长和学生）接受现场和电视机前观众的提问。

　　情境3：某中学评选出了五名不同年级的"读书之星"，他们在读书方面各有高招，对选书、读书、用书也有自己的见解。颁奖之前，学校安排这五名同学参加全校大会，与同学们面对面交流，并回答大家的问题。

　　提示：

　　1. 自主准备与所选情境相关的资料，揣摩自己扮演的角色，为活动做好准备。

　　2. 活动时要突出应对的特点，发问者的问题可尖锐些，被问者的回答应机智、巧妙。注意不要把应对变成谈话、讨论或辩论。

　　3. 要记录活动的过程，最好能够录音。活动结束后，参照记录总结应对的策略和技巧，在全班展示、交流。

第二单元

草木枯荣，大雁去来，恐龙无处不有，沙子极为致密，这些现象背后都蕴含着一定的科学道理。本单元的课文都是阐释事理的说明文，涉及物候学、地质学、生态学等领域，体现了求真、严谨的科学精神。

学习本单元，要注意理清文章的说明顺序，筛选主要信息，读懂文章阐述的事理；还要学习分析推理的基本方法，善于发现问题、思考问题、质疑问难，激发科学探究的兴趣。

阅读

5　大自然的语言①

竺可桢

竺可桢

预习

◎　人类有语言，大自然也有自己的"语言"。"七九河开，八九雁来；九九加一九，耕牛遍地走。""清明忙种麦，谷雨种大田。"你还知道哪些"大自然的语言"？

◎　物候学研究的许多自然现象与人类的生活息息相关。作者介绍这门学科时，结合实例，娓娓道来，条理清晰，语言准确。快速浏览课文，了解文章的主要内容。

立春过后，大地渐渐从沉睡中苏醒过来。冰雪融化，草木萌发，各种花次第②开放。再过两个月，燕子翩然③归来。不久，布谷鸟也来了。于是转入炎热的夏季，这是植物孕育果实的时期。到了秋天，果实成熟，植物的叶子渐渐变黄，在秋风中簌簌地落下来。北雁南飞，活跃在田间草际的昆虫也都销声匿迹④。到处呈现一片衰草连天的景象，准备迎接风雪载途⑤的寒冬。在地球上温带和亚热带区域里，年年如是，周而复始。

几千年来，劳动人民注意了草木荣枯、候鸟去来等自然现象同气候的关系，据以安排农事。杏花开了，就好像大自然在传语要赶快耕地；桃花开了，又好像在暗示要赶快种谷子。布谷鸟开始唱歌，劳动人民懂得它在唱什么：

---

① 根据《科学大众》1963年第1期竺可桢的《一门丰产的科学——物候学》一文改写。竺可桢（1890—1974），浙江上虞人，气象学家、地理学家。

② 〔次第〕依次。

③ 〔翩（piān）然〕动作轻快的样子。

④ 〔销声匿迹〕本义是不再公开讲话，不再公开露面。这里指昆虫无声无息、无影无踪。

⑤ 〔载途〕满路，有遍地的意思。

"阿公阿婆，割麦插禾①。"这样看来，花香鸟语，草长莺飞，都是大自然的语言。

这些自然现象，我国古代劳动人民称它为物候。物候知识在我国起源很早。古代流传下来的许多农谚②就包含了丰富的物候知识。到了近代，利用物候知识来研究农业生产，已经发展为一门科学，就是物候学。物候学记录植物的生长荣枯，动物的养育往来，如桃花开、燕子来等自然现象，从而了解随着时节推移的气候变化和这种变化对动植物的影响。

①〔阿公阿婆，割麦插禾〕这是模拟布谷鸟的叫声，赋予它这样的意义。禾，这里指稻秧。

②〔农谚〕有关农业生产的谚语，是在长期生产实践里总结出来的经验。

物候观测使用的是"活的仪器"，是活生生的生物。它比气象仪器复杂得多，灵敏得多。物候观测的数据反映气温、湿度等气候条件的综合，也反映气候条件对于生物的影响。应用在农事活动里，比较简便，容易掌握。物候对于农业的重要性就在这里。下面是一个例子。

北京的物候记录，1962年的山桃、杏花、苹果、榆叶梅[①]、西府海棠、丁香、刺槐的花期比1961年迟十天左右，比1960年迟五六天。根据这些物候观测资料，可以判断北京地区1962年农业季节来得较晚。而那年春初种的花生等作物仍然是按照往年日期播种的，结果受到低温的损害。如果能注意到物候延迟，选择适宜的播种日期，这种损失就可能避免。

物候现象的来临决定于哪些因素呢？

首先是纬度。越往北桃花开得越迟，候鸟也来得越晚。值得指出的是物候现象南北差异的日数因季节的差别而不同。我国大陆性气候显著，冬冷夏热。冬季南北温度悬殊，夏季却相差不大。在春天，早春跟晚春也不相同。如在早春三四月间，南京桃花要比北京早开二十天，但是到晚春五月初，南京刺槐开花只比北京早十天。所以在华北常感觉到春季短促，冬天结束，夏天就到了。

经度的差异是影响物候的第二个因素。凡是近海的地方，比同纬度的内陆，冬天温和，春天反而寒冷。所以沿海地区的春天的来临比内陆要迟若干天。如大连纬度在北京以南约1°，但是在大连，连翘[②]和榆叶梅的盛开都比北京要迟一个星期。又如济南苹果开花在四月中或谷雨节，烟台要到立夏。两地纬度相差无几，但烟台靠海，春天便来得迟了。

影响物候的第三个因素是高下的差异。植物的抽青、开花等物候现象在春夏两季越往高处越迟，而到秋天乔木的落叶则越往高处越早。不过研究这个因素要考虑到特殊的情况。例如秋冬之交，天气晴朗的空中，在一定高度上气温反比低处高。这叫逆温层。由于冷空气比较重，在无风的夜晚，冷空气便向低处流。这种现象在山地秋冬两季，特别是这两季的早晨，极为显著，常会发现山脚有霜而山腰反无霜。在华南丘陵区把热带作物引种在山腰很成功，在山脚反不适宜，就是这个道理。

此外，物候现象来临的迟早还有古今的差异。根据英国南部物候的一种长期记录，拿1741到1750年十年平均的春初七种乔木抽青和开花日期同1921到

---

① 〔榆叶梅〕一种落叶灌木或者小乔木，花粉红色，核果球形，红色。　② 〔连翘（qiáo）〕一种落叶灌木，春季开鲜黄色花，果实可以入药。

1930年十年的平均值相比较，可以看出后者比前者早九天。就是说，春天提前九天。

物候学这门科学接近生物学中的生态学①和气象学中的农业气象学。物候学的研究首先是为了预报农时，选择播种日期。此外还有多方面的意义。物候资料对于安排农作物区划，确定造林和采集树木种子的日期，很有参考价值，还可以利用来引种植物到物候条件相同的地区，也可以利用来避免或减轻害虫的侵害。我国有很大面积的山区土地可以耕种，而山区的气候、土壤对农作物的适应情况，有很多地方还有待调查。为了便利山区的农业发展，开展山区物候观测是必要的。

物候学是关系到农业丰产的科学，我们要进一步加强物候观测，懂得大自然的语言，争取农业更大的丰收。

思考探究

一　本文题为《大自然的语言》，主要是讲物候现象，你能概括一下"物候"是什么吗？

二　阅读相关段落，体会课文说明事理的严密性，回答下列问题。

    1. 第1—3段是怎样将"物候"这一科学概念一步步引出来的？

    2. 第7—10段说明物候现象来临的决定因素，采用了怎样的说明顺序？你认为这样的顺序安排是出于什么考虑？

三　说明事理有许多方法，如举例子、作比较、列数字、引用等。试从课文中各找出一个例子，说说其作用。

积累拓展

四　比较下面两段文字的不同特点，体会说明语言的生动性和准确性。

    1. 杏花开了，就好像大自然在传语要赶快耕地；桃花开了，又好像在暗示要赶快种谷子。布谷鸟开始唱歌，劳动人民懂得它在唱什么："阿公阿婆，割麦插禾。"

---

①〔生态学〕研究生物的生活方式与生存条件相互关系的科学。

2. 此外，物候现象来临的迟早还有古今的差异。根据英国南部物候的一种长期记录，拿1741到1750年十年平均的春初七种乔木抽青和开花日期同1921到1930年十年的平均值相比较，可以看出后者比前者早九天。就是说，春天提前九天。

五 这篇文章总结了物候现象来临的四个决定因素。课外查找资料，或根据自己的观察、体验，为课文补充一些例证，还可以探究一下是否有其他决定因素，与同学交流。

三 读读写写

萌	发		次	第		翩	然		孕	育		农	谚		海	棠
悬	殊		销	声	匿	迹		周	而	复	始		花	香	鸟	语
草	长	莺	飞													

> ### 句子结构要完整
>
> 读读下面这两个句子，看看它们存在什么问题：
> （1）看到同志们的认真负责，使我很受教育。
> （2）她给我描绘了除夕农民包饺子，守岁守到深夜，初一清晨全家在一起，吃饺子，放鞭炮。
>
> 这两个句子共同的问题在于缺少了某个必要的句子成分。句（1）的前一分句省略主语，而后一分句又用"使"开头，这样句子就没有了主语。去掉"看到"或"使"，句子就完整了。句（2）的"描绘"后边本应有一个宾语的中心语（如"情景"），但由于定语太长，结果漏掉了宾语的中心语。
>
> 这样的毛病往往是写作时粗心大意，写完后又不认真检查造成的。只要把句子认真读几遍，必要时用上"提取主干"的方法，就不难发现这类语病。

6　阿西莫夫短文两篇①

阿西莫夫

预习

◎ 你喜欢读科普作品和科幻小说吗？阿西莫夫是这方面的"大腕儿"作家，其作品涉及众多的科学领域。课前查找资料，了解作者的相关情况。

◎ 6 500万年前，在地球上生活了1.6亿年的恐龙突然灭绝了，这成了生物史上的一大谜团。导致恐龙灭绝的原因是什么？不同地域恐龙化石的发现意味着什么？带着这些问题阅读课文。

恐龙无处不有

不同科学领域之间是紧密相连的。在一个科学领域的发现肯定会对其他领域产生影响。

例如，在1986年1月，阿根廷南极研究所宣布在詹姆斯罗斯岛发现了一些骨骼化石。该岛是离南极海岸不远的一小片冰冻陆地，非常靠近南美的南端。这些骨头毫无疑问属于鸟臀目恐龙②。

在地球的其他大陆上也都发现有恐龙化石。这些古老的爬行动物在南极的出现，说明恐龙确实遍布于世界各地。

如果把这个发现与南极大陆联系起来，这比仅考虑恐龙来说重要得多。恐

---

① 选自《新疆域》（上海科技教育出版社1999年版）。孟庆任译。有改动。阿西莫夫（1920—1992），美国科普作家、科幻小说家。代表作有《基地》《新疆域》等。

② 〔鸟臀（tún）目恐龙〕恐龙的一个目，骨盆构造与鸟类相似，多为植食性或杂食性。目，生物分类系统中的一个等级。

龙如何能在南极地区生存呢？恐龙实际上并不适应寒冷的气候，但1986年在南极确实发现了这种古老的动物的化石。

恐龙不可能在每一块大陆上独立生存，那么它们是如何越过大洋到另一个大陆上去的呢？

这一问题的答案是：是大陆在漂移而不是恐龙自己在迁移。几十年前，人们发现地壳是由一些紧密拼合在一起但又在缓慢运动的大板块构成的。一些板块被拉开，而另一些则挤压在一起，一个板块也许会缓慢地向另一板块下面俯冲。"板块构造"理论很快为地质界几乎所有的问题提供了答案，如火山、地震、岛屿链①、海洋深渊等等，这些在以前一直是不解之谜。

可以这样比喻，板块背上驮着许多大陆，当板块向一个或另一个方向运动时，大陆也随之一起运动。每隔一段时期，板块会将所有的大陆汇聚在一起，地球此时仅由一个主要陆地构成，称为"泛大陆"。当板块继续运动时，大陆又重新被分离开。

在四十多亿年的地球发展史中，泛大陆形成和分裂过多次，最后一次完整的泛大陆大约是在2.25亿年前形成的。这个泛大陆存在了数百万年以后，又开始显示出破裂的迹象。

早期恐龙在那时已经开始出现，并且有机会分散到泛大陆的各个地方。所有陆地似乎都处在热带和温带环境内，所以恐龙可以在泛大陆的不同地区舒适地生活。

大约在两亿年前，泛大陆分裂出四部分。北部就是现在的北美、欧洲和亚洲，南部是由现在的南美和非洲构成，最南部是现在的南极洲和澳大利亚，印度是剩余的一小部分。

随着时间的流逝，北美又与亚洲和欧洲分开，南美也与非洲相离。（如果看一张地图，并假定把非洲和南美洲拼合在一起，你就会看到它们拼合得多么天衣无缝。）印度向北移动，并且大约在5 000万年前与亚洲相碰撞，形成巨大的喜马拉雅山脉。两个陆块在那里聚合并缓慢地褶皱②变形。南极和澳大利亚也已相互分离。

当大陆相互分离时，每一个大陆都携带着自己的恐龙而去。到6 500万年以前，由于这样或那样的原因，所有的恐龙都灭绝了，大陆也已完全分开。现

---

① 〔岛屿链〕连在一起呈链状分布的众多岛屿。
② 〔褶（zhě）皱〕这里指由于地壳运动，岩层
　　受到挤压而形成连续弯曲的构造形式。

在的每一个大陆都有自己的恐龙化石。

南极也有自己的恐龙、两栖动物和其他在恐龙时代繁盛的植物和动物。然而，这些生物的命运比其他同类要悲惨得多，因为板块把它们向南携带到了极地。大约经历了一亿年，气候逐渐变冷，植物慢慢越来越稀少，动物的种类和数量也大量减少。气候变得越来越寒冷，夏天短而且冷，最后成为冰天雪地。

位于南极中心部位的南极洲是全球的大冰箱，地球上所有冰的十分之九都在南极冰盖。那里的冰有数英里厚，覆盖着丰富的化石。如果南极的冰雪层再薄一些的话，我们就可以找到它们。

因此，南极洲恐龙化石的发现，为支持地壳在进行缓慢但又不可抗拒的运动这一理论提供了另一个强有力的证据。

被压扁的沙子

在过去的9年里，科学家们一直对6 500万年前恐龙灭绝的一个新观点争论不休，这个问题最终也许会得到解决。

1980年，曾经有报道说，在一个6 500万年前形成的沉积物薄层中，发现了稀有金属铱①，它的含量异常丰富。一些人认为，这可能是一个巨大的小行星或彗星撞击地球的结果。这种撞击也许深入到了地壳内部，引起火山喷发，造成大火和潮汐大浪，许多尘埃进入了平流层②中，结果造成在很长一段时间内阳光无法抵达地球表面。这也许是导致包括所有恐龙在内的许多地球生物灭绝的原因。

毫无疑问，6 500万年前地球上曾经有过一次"大灭绝"，发生过一次"大劫难"。然而，并不是所有的科学家都认为这是由巨大撞击引起的。例如，1987年就有人指出，如果地球突然经历了一个火山爆发期，许多火山大致同时喷发，那么也能造成一个足以使生物大量灭绝的巨大灾难。

因此，目前存在两种对立的理论，即"撞击说"和"火山说"。

这不仅仅是一个学术问题，因为我们将来也许还会遇到这样或那样的大灾难（万一哪天某个星体要撞击地球，我们也许会知道如何来避免这种撞击）。

---

① 〔铱（yī）〕一种稀有金属，银白色，质硬而脆，化学性质稳定。
② 〔平流层〕大气圈中的一层，位于对流层顶部

到距地面约50千米的高度范围，这里的空气多平流运动。

我们需要尽可能多地了解这种事件所产生的影响，希望将来一旦面临这种事件，我们可以采取某种应急措施。

为此，科学家们一直都在努力寻找证据来验证这两种理论。

1961年，一位名叫S.M.斯季绍夫的苏联科学家发现，如果二氧化硅（即非常纯的沙子）处于超高压的状态，那么它的原子相距很近，从而变得极为致密。一立方英寸被压扁的沙子比一立方英寸普通的沙子要重得多。这种被压扁的沙子因此被称为"斯石英"。

斯石英并不十分稳定，原子之间靠得太近以至于它们又出现相互排斥的趋势，最后又变为普通沙子。然而，由于原子之间结合得极为致密，所以这种反弹变化进行得非常缓慢，从而使斯石英可保持数百万年。

金刚石的形成与此相同。金刚石中的碳原子被挤压得异常紧密，它们同样存在一个向外扩散并且恢复为普通碳的趋势。在通常条件下，这也需要数百万年。

如果你把温度升得足够高，就可使这种变化加快。增温可以增加原子的能量，使它们之间能够相互分离，返回到原始状态。因此，如果在850 ℃的温度下把斯石英加热30分钟，它将变为普通沙子。（你也可以在真空中对金刚石加热，从而把它恢复到原始碳的状态，但谁愿意这样做呢？）

斯石英可以在实验室里制造，但它们在自然界中存在吗？回答是肯定的。然而它们只出现在沙子被强烈挤压的地方。

在一些地方已经发现了斯石英，而且有证据显示，这些地区曾经受到巨大陨石的撞击。撞击所产生的巨大压力形成了斯石英。另外，在进行过原子弹爆炸实验的场地也发现了斯石英，它是由膨胀火球的巨大压力形成的。

似乎可以肯定地说，斯石英也应该出现在压力极高的地壳深处。在这种情况下，它可通过火山喷发被携带到地表。然而，喷发温度极高，岩石会被熔化，所以任何由火山携带而来的斯石英都被转化为普通的二氧化硅。事实上，在火山活动地区至今没有发现过斯石英。

那么，你可能会说在斯石英出现的地方肯定发生过撞击，而且肯定没有发生过火山活动。

亚利桑那大学的麦克霍恩和几位合作者研究了新墨西哥州拉顿地区的岩层。岩层的年龄为6 500万年，因此可以追溯到恐龙灭绝的年代。

他们在1989年3月1日宣布，利用测试固体物质中的原子排列的现代技术，即核磁共振^①和 X 光衍射^②，他们确实检测到了在斯石英中存在的一种原子排列。

这种情况显示，在 6 500 万年以前曾有一次巨大的撞击并形成了数吨重的斯石英。这些斯石英在沉降之前曾被溅到了平流层中。那么，造成恐龙灭绝的原因不是火山活动，而应该是撞击。

❓ 思考探究

一　这两篇短文都谈到了恐龙灭绝，但选用的材料不同，所说明的主要问题也不同。试结合课文做具体分析。

二　这两篇短文都是从某一现象出发，通过分析事物间的内在联系，得出规律性的认识。任选其中一篇，分析其思路。

三　下列语句是作者在行文中放在括号里的补充说明文字。试结合上下文，说说它们各自的作用。

　　1. 如果看一张地图，并假定把非洲和南美洲拼合在一起，你就会看到它们拼合得多么天衣无缝。

　　2. 万一哪天某个星体要撞击地球，我们也许会知道如何来避免这种撞击。

　　3. 即非常纯的沙子。

　　4. 你也可以在真空中对金刚石加热，从而把它恢复到原始碳的状态，但谁愿意这样做呢？

⚙ 积累拓展

四　阅读下面的材料，说说材料中描述的现象是与课文中的哪个理论相联系的。

　　深海沟是在大陆与大洋之间靠大洋一侧的地方。地球上水深超过 6 000 米的海沟共 24 处，其中 19 处在太平洋中。全球最深的海沟是马里亚纳海沟，水深约 11 034 米。海沟是板块构造活动的杰作。一个板块向下俯冲到另一个板块之下时，一边下

---

① 〔核磁共振〕原子核在外加磁场作用下，对特定频率的电磁波发生共振吸收的现象。利用核磁共振方法，可以探测物质结构。

② 〔X 光衍射〕X 光通过晶体时会产生衍射现象，由此可以检测晶体的内部结构。

垂，一边上翘，这中间就形成了海沟。所以说海沟是板块构造俯冲带开始的地方，也是板块构造挤压活动的场所。这里好像一个枢纽或传动带，一方面海洋板块的岩石俯冲下去，另一方面大陆板块翘起来。

五　恐龙灭绝的原因到底是什么？课文为我们提供了两种假说，其实还有多种相关的假说。课外搜集整理资料，写一篇小短文阐述你的认识，并相互交流。

三　读读写写

臀		骨	骼	漂	移	流	逝	褶	皱	携	带
两	栖	彗	星	潮	汐	劫	难	致	密	陨	石
追	溯	天	衣	无	缝						

句式不要杂糅

读读下面这个句子，看看它存在什么问题：

《标准汉语》的主要读者对象是为英语国家的中国留学生子女及汉语爱好者编写的一套汉语学习课本。

其实表达这个意思，可以根据不同的表达需要，选用不同的句式：或以读者为陈述对象，说明这本书的读者是谁；或以《标准汉语》为陈述对象，说明这是一本什么书。有时既想用这个句式，又想用那个句式，结果把两种句式杂糅在一起，造成句子结构混乱。这是思路不清在语言运用上的一种表现。这句话可以改为："《标准汉语》的主要读者对象是英语国家的中国留学生子女及汉语爱好者。"或者："《标准汉语》是为英语国家的中国留学生子女及汉语爱好者编写的一套汉语学习课本。"

7　大雁归来①

利奥波德

一只燕子的来临说明不了春天，但当一群大雁冲破了3月暖流的雾霭时，春天就来到了。

如果一只主红雀②对着暖流歌唱起春天来，却发现自己搞错了，它还可以纠正自己的错误，继续保持它在冬季的缄默③；如果一只花鼠想出来晒太阳，却遇到了一阵暴风雪，也可以再回去睡觉；而一只定期迁徙的大雁，下定了在黑夜飞行200英里的赌注，它一旦起程再要撤回去就不那么容易了。

向我们农场宣告新的季节来临的大雁知道很多事情，其中包括威斯康星④的法规。11月份南飞的鸟群，目空一切地从我们的头上高高飞过，即使发现了它们所喜欢的沙滩和沼泽，也几乎是一声不响。乌鸦通常被认为是笔直飞行的，但与坚定不移地向南飞行20英里直达最近的大湖的大雁相比，它的飞行也就成了曲线。大雁到了目的地，时而在宽阔的水面上闲荡，时而跑到刚刚收割的玉米地里捡食玉米粒。大雁知道，从黎明到夜幕降临，在每个沼泽地和池塘边，都有瞄准它们的猎枪。

3月的大雁则不同。尽管它们在冬天的大部分时间里都可能受到枪击，但现在却是休战时刻。它们顺着弯曲的河流拐来拐去，穿过现在已经没有猎枪的狩猎点和小洲，向每个沙滩低语着，如同向久

"赌注"一词有什么特殊意味？

读了这一段，你能猜到"法规"的内容吗？

---

① 选自《沙乡年鉴》（吉林人民出版社1997年版）。侯文蕙译。有改动。利奥波德（1887—1948），美国生态学家。
② 〔主红雀〕一种雀，分布于北美落基山以东

地区。
③ 〔缄（jiān）默〕闭口不说话。
④ 〔威斯康星〕州名，在美国北部，境内多湖泊。作者的沙乡农场就在州内威斯康星河畔。

别的朋友低语一样。它们低低地在沼泽和草地上空曲折地穿行着，向每个刚刚融化的水洼和池塘问好。在我们的沼泽上空做了几次试探性的盘旋之后，它们白色的尾部朝着远方的山丘，终于慢慢扇动着黑色的翅膀，静静地向池塘滑翔下来。一触到水，我们刚到的客人就会叫起来，似乎它们溅起的水花能抖掉那脆弱的香蒲①身上的冬天。我们的大雁又回来了。

冬天如何能"抖掉"？

第一群大雁一旦来到这里，它们便向每一个迁徙的雁群喧嚷着发出邀请。不消几天，沼泽地里到处都可以看到它们。在我们的农场，可以根据两个数字来衡量春天的富足：所种的松树和停留的大雁。1946年4月11日，我们记录下来的大雁是642只。

与秋天一样，我们的春雁每天都要去玉米地做一次旅行，但绝不是偷偷摸摸进行的。从早到晚，它们一群一群地喧闹着往收割后的玉米地飞去。每次出发之前，都有一场高声而有趣的辩论，而每次返回之前的争论则更为响亮。返回的雁群，不再在沼泽上空做试探性的盘旋，而像凋零的枫叶一样，摇晃着从空中落下来，并向下面欢呼的鸟儿们伸出双脚。那接着而来的低语，是它们在论述食物的价值。它们现在所吃的玉米粒在整个冬天都被厚厚的积雪覆盖着，所以才未被那些在雪中搜寻玉米的乌鸦、棉尾兔②、田鼠以及环颈雉③所发现。

观察、推测与分析是科学研究的基本方法。

通过对春雁集会的日常程序的观察，人们注意到，所有的孤雁都有一种共性：它们的飞行和鸣叫很频繁，而且声调忧郁。于是人们就得出结论：这些孤雁是伤心的单身。

---

① 〔香蒲〕也叫"蒲黄""蒲草"，多年生草本植物，是制造人造棉和纸张的原料。

② 〔棉尾兔〕北美的一种野兔，性情温和。

③ 〔环颈雉（zhì）〕也叫"野鸡""雉鸡"，主要分布在亚洲，原产于我国。19世纪初，欧美引进，数量剧增，已成为当地主要狩猎资源。

我和我的学生注意到每支雁队组成的数字。六年之后，在对孤雁的解释上，出现了一束不曾预料的希望之光。从数字分析中发现，六只或以六的倍数组成的雁队，要比偶尔出现一只，多得多。换句话说，雁群是一些家庭，或者说是一些家庭的聚合体，而那些孤雁正好大致符合我们先前所提出来的那种想象，它们是丧失了亲人的幸存者。单调枯燥的数字竟能如此进一步激发爱鸟者的感伤。

在4月的夜间，当天气暖和得可以待在屋外时，我们喜欢倾听大雁在沼泽中集会时的鸣叫。在那儿，有很长一段时间都是静悄悄的，人们听到的只是沙锥鸟①扇动翅膀的声音，远处的一只猫头鹰的叫声，或者是某只多情的美洲半蹼鹬②从鼻子里发出的咯咯声。然后，突然间，刺耳的雁叫声出现了，并且带着一阵急促的混乱的回声。有翅膀在水上的拍打声，有蹼的划动而发出来的声音，还有观战者们激烈的辩论所发出的呼叫声。随后，一个深沉的声音算是最后发言，喧闹声也渐渐低沉下去，只能听到一些模糊的稀疏的谈论。

> 这段写雁声细致入微，情趣盎然。

等到白头翁花盛开的时候，我们的大雁集会也就逐渐少下来。在5月来到之时，我们的沼泽便再次成为弥漫着青草气息的地方，那些红翅黑鹂和黑脸田鸡更给它增添生气。

1943年的开罗会议③上人们发现，各国之间的联合是不可预期的。然而，大雁的这种联合观念已经有很长时间了。每年3月，它们都要用自己的生命来为实现这个基本的信念做赌注。

> 将人类的行为与大雁对比，表明大雁是联合的"先驱"。

---

① 〔沙锥鸟〕一种行动敏捷的小鸟。
② 〔半蹼（pǔ）鹬（yù）〕一种体形粗壮、长嘴的鸟，喜欢在沙洲、沼泽等地方觅食。
③ 〔开罗会议〕1943年11月22日至26日在埃及开罗举行的国际会议，中、美、英三国首脑参加，主要商讨了联合对日本作战的计划以及一些战后问题，签署了《开罗宣言》。

自更新世①以来，每年3月，从中国海到西伯利亚，从幼发拉底河到伏尔加河，从尼罗河到摩尔曼斯克②，从林肯郡到斯匹次卑尔根群岛③，大雁都要吹起联合的号角。

因为有了这种国际性的大雁迁徙活动，伊利诺伊的玉米粒才得以穿过云层，被带到北极的冻土带。在这种每年一度的迁徙中，整个大陆所获得的是从3月的天空洒下来的一首有益无损的带着野性的诗歌。

怎样理解最后一句话的含义？

阅读提示

本文是一篇富有文学色彩的科学观察笔记，阅读时要注意其中对雁群生活习性的观察和说明，欣赏作者的抒情笔法，感受作者的浪漫情怀。在作者笔下，大雁富有灵性，熟悉人类的游戏规则，还会低声细语和高声争辩。文章字里行间充盈着对大雁的喜爱之情，表现出对它们命运的关注，体现了一位环境保护主义者的深切思考。

在《沙乡年鉴》中，作者分12个月，记录了他那贫瘠荒凉的沙乡农场一年四季的物候风景、生活趣事，细致描摹了各种生物的生存状况，表达了对自然的尊重和对人与自然关系的全新思考。有兴趣的话，可以把这本书找来读一读。

读读写写

雾霭	缄默	迁徙	赌注	沼泽	瞄准
狩猎	盘旋	喧嚷	邀请	凋零	枯燥
稀疏	弥漫	目空一切	偷偷摸摸		

① 〔更新世〕地质年代，第四纪的前期，开始于约260万年前，结束于约1万年前。
② 〔摩尔曼斯克〕俄罗斯摩尔曼斯克州首府，位于北极圈内，为北冰洋沿岸最大的海港城市。
③ 〔斯匹次卑尔根群岛〕又称"斯瓦尔巴群岛"，属挪威，位于北冰洋上。

8　时间的脚印①

陶世龙

时间伯伯，
你是最伟大的旅行家，
你从不犹豫你的脚步，
你走过历史的每一个时代。
　　　　——高士其②《时间伯伯》

时间一年一年地过去。

时间是没有脚的，而人们却想出了许多法子记录下它的踪迹，用钟表，用日历……但是，在地球上还没有出现人的时候，或者在人还不知道记录时间的时候，到哪里去找寻时间的踪迹呢？

然而，时间仍然被记下来了。在大自然中保存着许多种时间的记录，那躺在山野里的岩石，就是其中重要的一种。每1厘米厚的岩层便代表着几十年到上百年的时间。

在北京故宫，我们还可以看到一种古老的计时装置：铜壶滴漏——水从一个铜壶缓缓地滴进另一个铜壶，时间过去了，这个壶里的水空了，那个壶里的水却又多了起来。时间是看不见的，但是我们用水滴记下了逝去的时间。

岩石是怎样记下时间的呢？

大自然中的各种物质都时时刻刻在运动着：这里在死亡，那里在生长；这里在建设，那里在破坏。就在我们读这篇文章的时候，地球上某些地方的岩石在被破坏，同时它们又被陆续搬运到低洼的地方堆积起来，开始了重新生成岩石的过程。

真的有"海枯石烂"的时候。

到过山里的人都看见过，在那悬崖绝壁下面，往往堆积着一大摊碎石块。碎石是从哪里来的呢？还不是从那些山崖上崩落下来的！再仔细瞧瞧，还会发现有些还没有崩落的山崖也已经有了裂缝。

---

① 选自《时间的脚印》（江苏教育出版社1999年版）。略有改动。

② 〔高士其（1905—1988）〕福建福州人，科普作家。

不要认为岩石是坚固不坏的。它无时无刻不经受着从各方面来的"攻击"：炎热的阳光烘烤着它，严寒的霜雪冷冻着它，风吹着它，雨打着它……

空气和水中的酸类，腐蚀了岩石中的一部分物质。水流和风还不断地冲刷、吹拂着它。特别是刮风沙的时候，就像砂轮在有力地转动，岩石被磨损得光溜溜的，造成了许多奇形怪状的石头。

水和空气还能够进入岩石内部的孔隙中造成破坏。

雨水落到河湖里，渗入到地下，都对岩石有破坏作用。即使在海洋中，海水也在不断地冲击着岸上的石壁。如果大量的水结成了冰，形成冰河，它缓慢地移动着，破坏作用就更大了，就好像一柄铁扫帚从地上扫过，刨刮着所遇到的一些石头。

地面上和地下的生物，也没有放弃对岩石的破坏。

当然我们也不能忘掉人的作用。例如，在建筑兰新铁路①的时候，一个山头在几分钟内就被炸掉了，这相对地质作用的速度可要快多了。

大块的石头破碎成小块的石子，小块的石子再分裂成细微的沙砾、泥土。狂风吹来了，洪水冲来了，冰河爬来了，碎石、沙砾、泥土被它们带着，开始了旅行。

越是笨重的石块越跑不远，越是轻小的沙砾越能旅行到遥远的地方。它们被风吹向高空，被水带入大海。蒙古高原发生了风暴之后，北京的居民便忙着掸去身上的尘土。黄河中下游河水变得浑浊，谁都知道这是西北黄土高原被破坏的结果。在山麓、沟壑、河谷、湖泊、海洋等比较低洼的地方，有许多泥沙不断地被留下来，它们填充着湖泊，垫高了河床。我国洞庭湖的面积逐渐缩小，黄河下游的水面比地面还高，就是有许多泥沙沉淀下来的结果。

一年过去了，两年过去了……泥沙越积越厚。堆得厚了，对下层泥沙的压力也逐渐加重，泥沙中的水分被压出了许多，颗粒与颗粒之间压得很紧，甚至可以有分子间的引力。在受到重压的时候，有一些物质填充到泥沙中的孔隙里去，就使泥沙胶结得更紧密了。

经过长期的重压和胶结，那些碎石和泥沙重新形成了岩石。

根据计算，大约3 000到10 000年的时间，可以形成1米厚的岩石。岩石在最初生成的时候，像书页一样平卧着，一层层地叠在一起，最早形成的

_____

①〔兰新铁路〕从甘肃兰州经嘉峪关到新疆乌鲁
    木齐的铁路。始建于1952年，1962年全线通
    车，全长1 892千米。

"躺"在最下面。因为水面是平的，如果湖底也是水平的，那么从水中分离出来的沉淀物就也是水平地分布着的。

当然，如果海洋或湖泊的底是倾斜的，那么沉淀物堆积的面也就随着倾斜。在湖边、海边形成的岩石就常常是这样的。

岩石生成以后不断地改变着自己的样子。由于地壳的运动，原来平卧的岩层变得歪斜甚至直立了，但是层与层之间的顺序还不致打乱，根据这些我们仍然可以知道过去的年月。

岩石保存了远比上面所说的多得多的历史痕迹。

有一种很粗糙的石头，叫作"砾岩"。你可以清楚地看到，砾岩中包含着从前的鹅卵石。这说明了岩石生成的地方，是当时陆地的边缘，较大的石子不能被搬到海或湖的中央，便在岸边留下了。可是，有时候，在粗糙的岩石上覆盖着的岩层，它里面的物质颗粒却逐渐变细了，这是什么道理呢？这是因为地壳下沉，使原来靠岸的地方变成了海洋的中心。

从"死"的石头上，我们看到了地壳的活动。

石头颜色的不同，也常常说明着地球上的变化。红色的岩石意味着当时气候非常炎热，而灰黑色常常是寒冷的表示。如果这里的石头有光滑的擦痕，那很可能从前这里有冰河经过。

古代生物的状况，在岩石中更有着丰富的记录。许多生物的尸体由于和泥沙埋在一起，被泥沙紧紧包裹住，没有毁灭消失，而让别的矿物质填充了它的遗体，保留了它的外形甚至内部的构造。在特殊的情况下，某些生物的尸体竟完整地保存下来了，如北极冻土带中的长毛象[①]、琥珀中的昆虫。所有这些都叫作"化石"。

化石是历史的证人，它帮助我们认识地球历史的发展过程。

例如，很多地方都发现了一种海洋生物三叶虫[②]的化石。它告诉我们，在6亿多年前到5亿多年前的那个叫作"寒武纪"的时代，地球上的海洋是多么宽广。许多高大树木的化石告诉我们，有一个时期地球上的气候是温暖而潮湿的，这是叫作"石炭纪[③]"的时代的特征。还有一些"象"和"犀牛"都长上

---

① 〔长毛象〕即猛犸（mǎ）象，一种适应寒冷气候的古代哺乳动物，身躯高大，全身有棕色长毛，门齿向上弯曲。生存于亚欧大陆及美洲北部，约在几千年前灭绝。我国东北及内蒙古、宁夏等地都发现过猛犸象的化石。

② 〔三叶虫〕节肢动物门中已经灭绝的一个纲，背壳纵分为一个中轴和两个肋叶，横分为前、中、后三个部分，故名。

③ 〔石炭纪〕古生代的第五个纪，开始于约3.54亿年前，结束于约2.95亿年前，是煤形成的时期。

了长长的毛，这准是天气冷了，说明了"第四纪"冰河时期[①]的来临。

自然界某些转眼就消逝的活动，在石头上也留下了痕迹。如雨打沙滩的遗迹，水波使水底泥沙掀起的波痕，古代动物走过的脚印和天旱时候泥土龟裂[②]的形象……

瞧！大自然给我们保留了多好的记录。实际上，地球上的记录比这篇文章所介绍的还要丰富得多，这里不过是拉开了帷幕的一角而已。

当然，读懂这些记录要比认识甲骨文、钟鼎文或者楔形文字更困难些。但是，不管有多么困难，我们总有办法来读懂它。而在读懂以后，不仅使我们增加了知识，而且还非常有助于我们去找寻地下的宝藏。例如，"寒武纪"以前形成的古老陆块内藏有许多铁矿，"石炭纪"时期又造成了许多煤矿。如果我们熟悉了这些石头的历史，便有可能踏着历史的脚印，一步一步地走向地下的宝库。

阅读提示

本文为我们解析了岩石记录时间的"奇异功能"。岩石仿佛是原始的"钟表"，留下了历史的痕迹，无声地讲述着自然传奇故事，让我们了解到地貌的变化，地质的变迁，以及古代生物繁衍、灭绝的大量信息。这样的"石头记"，是大自然留给我们的宝书，可以引导我们寻找"地下的宝库"，为人类造福。

作者在文中，始终用辩证的观点看问题，将静态观察与动态分析、历史思考与现实认识融为一体，赋予大自然中"时间的脚印"更为深广的意义。比喻、拟人、排比等修辞手法的使用，增强了文章的表现力；大量独立成段的单句，有提示重点内容、标示层次结构等作用，使文章脉络清晰，便于阅读理解。

读读写写

掸		踪	迹	装	置	烘	烤	腐	蚀	沙	砾
山	麓	沟	壑	龟	裂	帷	幕	海	枯	石	烂

[①]〔"第四纪"冰河时期〕即"第四纪冰期"。地球上气候寒冷、地球表面覆盖有大规模冰川的时期称为冰期。第四纪冰期是地球历史上最近一次大冰期，在第四纪中期（约80万年前—约70万年前）最盛，约1万年前逐渐消退。

[②]〔龟（jūn）裂〕裂开许多缝子。

说明的顺序

　　说明文介绍事物或阐明事理，目的都在于让人获得知识。如何才能把知识讲得清楚明白呢？除了需要准确抓住事物的特征，讲究说明方法外，还要合理安排说明顺序。合理的说明顺序，有助于充分表现事物或事理本身的特征，也符合人们认识事物或事理的规律。

　　说明顺序有时间顺序、空间顺序和逻辑顺序。时间顺序多用于介绍事物的发展变化过程、制作工序等。比如法布尔的《蝉》介绍蝉卵孵化为幼虫到蜕皮再到钻入土中的过程，就采用了时间顺序。空间顺序，一般有从上到下、从前到后、从中间到两边等，常用于介绍建筑物或物品。比如《梦回繁华》对《清明上河图》画面内容的介绍，就采用了空间顺序。逻辑顺序是介绍事理时通常采用的顺序，具体地说，有先总说后分说、从概括到具体、从现象到本质、从主到次等。比如《苏州园林》，先总说苏州园林的特点，然后从四个角度加以分说；又如《恐龙无处不有》，用在南极发现恐龙化石这一事实佐证"板块构造"理论，就采用了从现象到本质的顺序。

　　写作实践中采取哪一种顺序，并非一成不变，而是要视具体情况而定。比如，对于同一座建筑物，由于关注的角度不同，要介绍的内容不同，采用的说明顺序也会不同。

介绍该建筑物的结构和布局，应采用空间顺序。

介绍该建筑物的历史变迁，应采用时间顺序。

介绍该建筑物的某个特点及其成因，应采用逻辑顺序。

　　通常情况下，一篇说明文往往以一种顺序为主，兼用其他顺序。如《中国石拱桥》整体上采用的是从概括到具体的逻辑顺序，而在举桥梁例子的时候，则采用了从古到今的时间顺序。

写作实践

一 你有自己特别熟悉、喜欢的小天地吧？比如你自己的房间、你在教室里的座位、校园里的某个角落等。以"我的小天地"为话题，写一个片段，向别人介绍它。200字左右。

　　提示：

　　1. 确定说明对象后，先考虑写哪些内容，然后选择合适的说明顺序。

　　2. 写作中，注意准确使用方位词，这样能使介绍更加清楚。

二 智能手机、平板电脑、电视机顶盒、无线路由器……，我们生活中的科技新产品层出不穷。选择一种产品，写一篇文章介绍它的功能和使用方法。不少于600字。

　　提示：

　　1. 可以设想一个特定的读者，比如一位长辈，他对你所介绍的产品或技术不太了解，尽量用他能够理解的话进行说明。

　　2. 为了使行文活泼，也可以采用问答的形式来组织全文，但注意要写成说明文，不要写成叙述类文章。

三 你生活在城市还是农村？这几年来，你觉得周围的环境有了哪些变化？原因是什么？以"我周围的环境"为话题，写一篇事理说明文，题目自拟。不少于600字。

　　提示：

　　1. 确定说明对象，如空气、水质、植被、交通状况等，写出它的变化。

　　2. 查找相关资料，说明变化的原因。

　　3. 注意安排好说明顺序。

倡导低碳生活

人与自然是生命共同体，人类必须尊重自然、顺应自然、保护自然。但随着人口的增多，人类活动的日趋频繁，空气污染、土壤沙化、水土流失、温室效应等都在加剧。为此，我们应当树立和践行绿水青山就是金山银山的理念，倡导简约适度、绿色低碳的生活方式。

班级分工合作，参考"资料夹"中的资料，组织一次主题宣传活动，宣传低碳生活、绿色环保的理念。

一、确定宣传主题

阅读"资料一"，了解什么是低碳生活，以及践行低碳生活的一些原则、做法。围绕"低碳生活，我们可以做什么"的话题，全班一起讨论，确定各组的宣传点。

二、搜集资料，撰写宣传文稿

1. 围绕专题，了解相关知识。可以从一些权威网站搜集最新的可靠数据，也可以从地理课本、百科全书中找相应的介绍，还可以访问权威人士，咨询相关学科老师。

2. 实地考察，获取直接资料。走出校园，用笔记录，用相机拍摄。比如村边小河清水不再，泡沫四溢，实地考察一下，记下你的感受；拍摄一张雾霾锁城、行人戴口罩出行的照片，会发现保护环境是多么迫切。

3. 参阅"资料二""资料三"，撰写宣传文稿。宣传文稿，既要有客观的资料呈现，又要融入自己的感受和思考，还要提出一些切实可行的措施，方便大家践行。

> 文字资料和图片资料相配合，更能吸引人的目光。
> 客观的数据和图表，能提升宣传材料的可信度。
> 带有诗情画意的描述，更容易打动观者的心。
> 编写几句朗朗上口的宣传口号，创作一支宣传歌曲，宣传效果会加倍。

三、制作宣传材料，开展宣传

1. 将搜集到的资料分成不同栏目或板块，制作成宣传材料。形式可以多样，展板、小册子、海报、标语均可。

2. 带着宣传材料，在学校或社区开展宣传，介绍相关环保理念，并提示大家如何践行。宣传活动中，采取环保方式。宣传结束，注意清理活动产生的垃圾。

资料夹

资料一：什么是低碳生活

低碳，是指较低（更低）的温室气体（主要是二氧化碳）的排放。低碳生活就是指在不影响生活质量的前提下，尽量减少生活和工作中耗用的能量，从而减低碳的排放量，达到减少大气污染、减缓生态恶化的目的。"低碳生活"作为一种生活方式，代表着一种更为健康、更为自然的生活态度，意味着人类要负起保护地球的责任和义务。低碳生活看起来是小事，少用纸巾、塑料袋、一次性纸杯，循环用水，多步行少开车，等等，做起来也不是太难，但对此要有正确的认识。低碳不能因为自己"小"而不为，不能因为自己"富"而不为，更不能因为别人"不为"而自己不为。

——姚雪痕《低碳生活》（上海科学技术文献出版社2013年版）

资料二：二氧化碳排放量如何计算

我国是以火力发电为主的国家，火力发电厂是利用燃烧燃料（煤、石油及其制品、天然气等）所得到的热能发电的。节约化石能源和使用可再生能源，是减少二氧化碳排放的两个关键。那么，如何计算二氧化碳减排量的多少呢？以发电厂为例，节约1千瓦时（度）电或1千克煤到底减排了多少"二氧化碳"？

根据专家统计：每节约1千瓦时电，就相应节约了0.4千克标准煤，同时减少污染排放0.272千克碳粉尘、0.997千克二氧化碳、0.03千克二氧化硫、0.015千克氮氧化物。

由此可推算出以下公式：

节约1千瓦时电＝减排0.997千克二氧化碳；

资料夹

节约1千克标准煤=减排2.493千克二氧化碳。

（说明：以上电的折标煤按等价值，即系数为1千瓦时电=0.4千克标准煤，而1千克原煤=0.714 3千克标准煤。）

在日常生活中，每个人也能以自身的行为方式，为节能减排出一份力。以下是生活中二氧化碳排放量的基本计算公式：

家居用电的二氧化碳排放量（千克）=耗电量（千瓦时）×0.785；

开车的二氧化碳排放量（千克）=油耗（升）×0.785；

短途飞机旅行（200千米以内）的二氧化碳排放量=千米数×0.275；

中途飞机旅行（200千米到1 000千米）的二氧化碳排放量=55+0.105×（千米数–200）；

长途飞机旅行（1 000千米以上）的二氧化碳排放量=千米数×0.139。

——2009年12月10日《中国环境报》

资料三：

2015年1月，《"同呼吸、共奋斗"公民行为准则》公益宣传海报由环境保护部面向社会发布。该套海报一共四张，依据环境保护部2014年8月发布的《"同呼吸、共奋斗"公民行为准则》设计制作，旨在倡导公众关注空气质量，养成节电习惯，选择绿色消费，共建美丽中国。下图是其中的一张。

资料四：生态中国　美丽中国（陈谦）

绿树掩映的城市，碧水环绕的田野；头顶，晴空如洗，白云似梦；身边，鸟语如歌，鲜花似锦。这是每一个人渴望拥有的环境，期盼享受的生活。美丽中国，令人倾心，令人神往。

我们正在推动着一次巨大的变革，从理念到实践，从生产到生活，从制度到风尚。这样的变革，将对每个人的现实和未来，都产生深刻的影响。

生态文明筑基。将生态环境保护的目标和要求全面融入决策、执行各方面，全面融入法律、政策各领域，全面融入生产、消费各环节，推动实现发展方式转变、价值观念进步、文明境界升华。

绿色发展领航。以人与自然和谐为价值取向，以绿色低碳循环为核心理念，以生态文明体制改革为基本抓手，通过环保督政落实各级党委政府的环保责任，通过严格监管强化行业企业的治理义务，通过宣传引导提升社会公众的环境意识。让经济发展与环境保护相得益彰，让日常生活与绿色环保水乳交融。

我们期待，天空不再有灰暗的雾霾，家乡不再有浊臭的河水，城市不再被垃圾包围，农村不再脏乱而落后。不仅有日益丰富的物质生活，更有风景如画的美丽家园。

我们期待，森林不再日渐稀疏，草原不再满目苍凉，餐桌上不再有珍奇的野味，笼子里不再有惊恐的目光。让地球不仅是人类的乐园，也是所有生灵的天堂。

"让居民望得见山、看得见水、记得住乡愁。"习近平总书记生动地描绘了美丽中国的模样。"绿水青山就是金山银山"，这是一个民族为了永续发展的坚定抉择，催促着我们向着全面建成小康社会发起绿色进军。

把碧绿还给森林，把蔚蓝还给海洋，把透明留给天空。这是梦开始的地方。美丽中国，起点就在我们脚下。

——2016年6月5日《中国环境报》

第三单元

自然美景，幸福生活，人所向往；奇绝艺人，精湛技艺，令人赞叹。这个单元所选古诗文，有的记事，有的记游，有的状物，有的抒情。阅读这些诗文，能够让我们了解古人的思想、情趣，感受他们的智慧，受到美的熏陶和感染。

学习本单元，要先借助注释和工具书读懂课文大意，然后通过反复诵读，领会诗文的丰富内涵，品味精美的语言，并积累一些常用的文言词语。

9 桃花源记①

陶渊明

预 习

◎ 我们现在常用"世外桃源"这一成语指理想中的美好世界。你心中有"世外桃源"吗？说说它是什么样的。

◎ 借助注释，通读课文，感受作者笔下"世外桃源"的美好情景。

晋太元②中，武陵③人捕鱼为业。缘④溪行，忘路之远近。忽逢桃花林，夹岸数百步，中无杂树，芳草鲜美⑤，落英⑥缤纷⑦。渔人甚异⑧之，复前行，欲穷其林⑨。

林尽水源⑩，便得一山，山有小口，仿佛⑪若有光。便舍船，从口入。初极狭，才通人⑫。复行数十步，豁然开朗⑬。土地平旷，屋舍俨然⑭，有良田、美池、桑竹之属⑮。阡陌交通⑯，鸡犬相闻⑰。其中往来种作，男女衣着，悉⑱如外人。黄发垂髫⑲，并怡然自乐。

见渔人，乃⑳大惊，问所从来。具㉑答之。便要㉒还家，设酒杀鸡作食。

---

① 选自《陶渊明集》卷六（中华书局1979年版）。

② 〔太元〕东晋孝武帝年号（376—396）。

③ 〔武陵〕郡名，今湖南常德一带。

④ 〔缘〕沿着，顺着。

⑤ 〔鲜美〕新鲜美好。

⑥ 〔落英〕落花。一说，初开的花。

⑦ 〔缤纷〕繁多的样子。

⑧ 〔异〕惊异，诧异。这里是"对……感到惊异"的意思。

⑨ 〔欲穷其林〕想要走到那片林子的尽头。穷，尽。

⑩ 〔林尽水源〕林尽于水源，意思是桃林在溪水发源的地方就到头了。

⑪ 〔仿佛〕隐隐约约，形容看不真切。

⑫ 〔才通人〕仅容一人通过。才，仅仅、只。

⑬ 〔豁然开朗〕形容由狭窄幽暗突然变得开阔敞亮。

⑭ 〔俨（yǎn）然〕整齐的样子。

⑮ 〔属〕类。

⑯ 〔阡陌交通〕田间小路交错相通。阡陌，田间小路。

⑰ 〔相闻〕可以互相听到。

⑱ 〔悉〕全，都。

⑲ 〔黄发垂髫（tiáo）〕指老人和小孩。黄发，旧说是长寿的特征，用来指老人。垂髫，垂下来的头发，用来指小孩。

⑳ 〔乃〕于是，就。

㉑ 〔具〕详细。

㉒ 〔要（yāo）〕同"邀"，邀请。

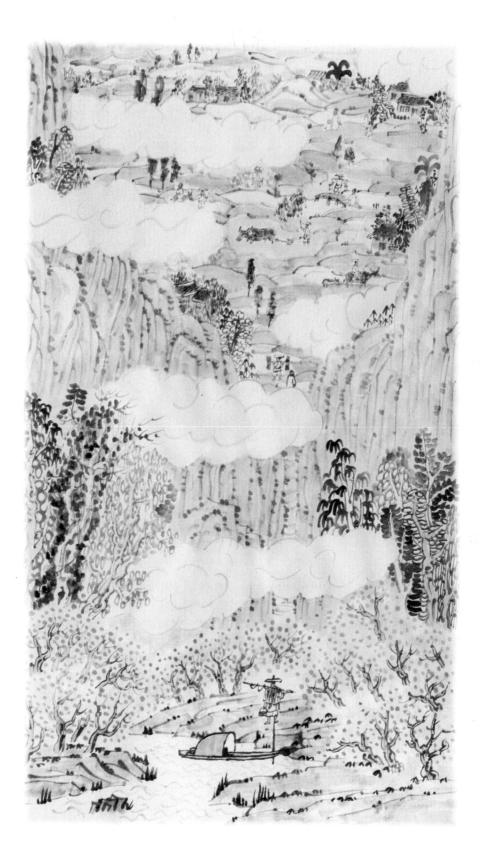

村中闻有此人，咸①来问讯。自云先世避秦时乱，率妻子②邑人来此绝境③，不复出焉，遂与外人间隔④。问今是何世，乃⑤不知有汉，无论⑥魏晋。此人一一为具言⑦所闻，皆叹惋⑧。余人各复延⑨至其家，皆出酒食。停数日，辞去。此中人语云⑩："不足⑪为外人道也。"

既出，得其船，便扶向路⑫，处处志⑬之。及郡下⑭，诣⑮太守，说如此。太守即遣人随其往，寻向所志，遂迷，不复得路。

南阳⑯刘子骥⑰，高尚士也，闻之，欣然规⑱往。未果⑲，寻⑳病终。后遂无问津㉑者。

思考探究

一 在读懂课文的基础上，简要讲述这个故事，并背诵全文。

二 桃花林的景色和桃花源中的景象有所不同。默读课文前两段，想象其中的画面，说说这些画面给你的感受。

三 本文笔法简洁而内涵丰富，试依据课文内容回答问题。

　　1. 此人一一为具言所闻，皆叹惋。

　　　（渔人"具言"的是什么？桃花源中人为什么"叹惋"？）

　　2. 诣太守，说如此。

　　　（这句话中的"如此"包括哪些内容？如果把这些内容一一写出来，表达效果会有什么不同？）

────────────────

①〔咸〕全，都。

②〔妻子〕妻子儿女。

③〔绝境〕与人世隔绝的地方。

④〔遂与外人间（jiàn）隔〕于是就同外界的人隔绝了。遂，于是、就。间隔，隔绝、不通音讯。

⑤〔乃〕竟然，居然。

⑥〔无论〕不要说，更不必说。

⑦〔为具言〕向（桃花源中人）详细地说出。为，对、向。

⑧〔叹惋〕感叹惋惜。

⑨〔延〕邀请。

⑩〔语（yù）云〕告诉（渔人）说。"语"后省略"之"，代渔人。

⑪〔不足〕不值得，不必。

⑫〔便扶向路〕就顺着旧路（回去）。扶，沿着、顺着。向，先前的。

⑬〔志〕做记号。

⑭〔及郡下〕到了郡城。及，到。郡，指武陵郡。

⑮〔诣（yì）〕拜访。

⑯〔南阳〕郡名，在今河南南阳一带。

⑰〔刘子骥〕名骥（lín）之，字子骥，《晋书·隐逸传》里说他"好游山泽"。

⑱〔规〕打算，计划。

⑲〔未果〕没有实现。

⑳〔寻〕随即，不久。

㉑〔问津〕询问渡口。这里是"访求、探求"的意思。

四 解释下列加点的词。

1. 武陵人捕鱼为业

　不足为外人道也

2. 便舍船，从口入

　土地平旷，屋舍俨然

3. 见渔人，乃大惊

　乃不知有汉，无论魏晋

4. 寻向所志

　未果，寻病终

五 古代汉语中有些词语在现代汉语中仍然使用，但是意思已经发生了变化。解释下列加点的词语，注意它们在句中的含义与现代汉语常用义的区别。

1. 芳草鲜美，落英缤纷

2. 阡陌交通，鸡犬相闻

3. 率妻子邑人来此绝境，不复出焉

4. 乃不知有汉，无论魏晋

六 结合课文及下面节引的《桃花源诗》中的诗句，讨论："世外桃源"有哪些吸引人的地方？作者借桃花源表达了怎样的社会理想？

相命肆农耕①，日入从所憩②。

桑竹垂余荫，菽稷③随时艺④。

春蚕收长丝，秋熟靡⑤王税。

荒路暖⑥交通，鸡犬互鸣吠。

俎豆犹古法⑦，衣裳无新制。

童孺纵行歌，斑白⑧欢游诣。

① 相命肆农耕：桃花源中人互相勉励致力于耕田。肆，尽力。

② 憩（qì）：休息。

③ 菽（shū）稷（jì）：泛指粮食作物。

④ 艺：种植。

⑤ 靡：无。

⑥ 暖（ài）：遮蔽。

⑦ 俎（zǔ）豆犹古法：按照古制进行祭祀。俎豆，古代祭祀时用的礼器。

⑧ 斑白：头发花白，指老人。

10 小石潭记①

柳宗元

- -

预 习

◎ 柳宗元被贬谪到湖南永州后，常常探山访水，流连于自然胜境，以排解心中郁积的苦闷，写下了备受后人推崇的"永州八记"，本文为其中之一。课外搜集资料，了解文章的写作背景。

◎ 结合注释，通读课文，了解这篇游记的主要内容。

- -

从小丘西行百二十步，隔篁竹②，闻水声，如鸣珮环③，心乐之④。伐竹取道，下见小潭，水尤清冽⑤。全石以为底⑥，近岸，卷石底以出⑦，为坻⑧，为屿，为嵁⑨，为岩。青树翠蔓⑩，蒙络摇缀，参差披拂⑪。

潭中鱼可百许头⑫，皆若空游无所依⑬，日光下澈，影布石上⑭。佁然⑮不动，俶尔远逝⑯，往来翕忽⑰，似与游者相乐。

---

① 选自《柳河东集》卷二十九（上海古籍出版社2008年版）。原题为《至小丘西小石潭记》。柳宗元（773—819），字子厚，河东（今山西永济西）人，唐代文学家，"唐宋八大家"之一。参加永贞元年（805）王叔文领导的政治革新运动，失败后被贬。
② 〔篁（huáng）竹〕竹林。
③ 〔如鸣珮环〕好像珮环碰撞的声音。珮、环，都是玉饰。
④ 〔心乐之〕心里为之高兴。
⑤ 〔水尤清冽（liè）〕水格外清凉。尤，格外。
⑥ 〔全石以为底〕以整块的石头为底。
⑦ 〔卷石底以出〕石底周边部分翻卷过来，露出水面。
⑧ 〔坻（chí）〕水中高地。

⑨ 〔嵁（kān）〕不平的岩石。
⑩ 〔翠蔓〕翠绿的藤蔓。
⑪ 〔蒙络摇缀，参差披拂〕蒙盖缠绕，摇曳牵连，参差不齐，随风飘拂。
⑫ 〔可百许头〕约有一百来条。可，大约。许，表示约数。
⑬ 〔若空游无所依〕好像在空中游动，没有什么依傍的。
⑭ 〔日光下澈，影布石上〕阳光照到水底，鱼的影子映在水底的石头上。澈，穿透。
⑮ 〔佁（yǐ）然〕静止不动的样子。
⑯ 〔俶（chù）尔远逝〕忽然间向远处游去。俶尔，忽然。
⑰ 〔翕（xī）忽〕轻快迅疾的样子。

潭西南而望，斗折蛇行，明灭可见①。其岸势犬牙差互②，不可知其源。

坐潭上，四面竹树环合，寂寥无人，凄神寒骨③，悄怆幽邃④。以其境过清⑤，不可久居，乃记之而去。

同游者：吴武陵⑥，龚古⑦，余弟宗玄⑧。隶而从⑨者，崔氏二小生⑩，曰恕己，曰奉壹。

思考探究

一 这是一篇短小精美的游记。认真读课文，理清游记的线索，然后背诵全文。

二 本文在景物描写中蕴含着情感，阅读时我们能感受到作者情感的起伏变化。试做具体分析。

三 小石潭给你留下的最深刻的印象是什么？如果你也坐在小石潭边，会有怎样的感受？试用几个词或一两句话，把你的感受表达出来。

积累拓展

四 解释下列加点的词。

1. 从小丘西行百二十步

2. 斗折蛇行，明灭可见

3. 其岸势犬牙差互

4. 凄神寒骨

五 柳宗元的山水游记上承郦道元《水经注》的成就，而又有突破性的发展。明代文学家茅坤说："夫古之善记山川，莫如柳子厚。"课外阅读"永州八记"中的其他作品，如《始得西山宴游记》《钴鉧潭西小丘记》等，体会柳宗元山水游记的特色。也可以阅读后世的游记作品，如袁宏道《满井游记》、袁枚《峡江寺飞泉亭记》等，体会其与柳宗元文章风格的不同之处。

---

①〔斗折蛇行，明灭可见〕（溪水）像北斗星那样曲折，像蛇那样蜿蜒前行，时隐时现。

②〔犬牙差（cī）互〕像狗的牙齿那样交错不齐。

③〔凄神寒骨〕让人感到心情悲伤，寒气透骨。

④〔悄（qiǎo）怆幽邃（suì）〕凄凉幽深。悄怆，凄凉。邃，深。

⑤〔清〕凄清。

⑥〔吴武陵〕作者的朋友，当时也被贬到永州。

⑦〔龚古〕作者的朋友。

⑧〔宗玄〕作者的堂弟。

⑨〔隶而从〕跟随着同去。

⑩〔二小生〕两个年轻人。

11 核舟记①

魏学洢

阅读提示

　　一个长不盈寸的桃核，刻而成舟，生动地表现出苏轼泛舟赤壁的场景，令人赞叹。本文用简洁、生动的语言，再现了雕刻者高超的技艺。阅读时，要在理解内容的基础上，发挥想象，感受这件艺术品的巧夺天工之美。

　　明有奇巧人②曰王叔远，能以径寸之木③，为④宫室、器皿⑤、人物，以至鸟兽、木⑥石，罔不因势象形⑦，各具情态。尝贻⑧余核舟一，盖大苏泛赤壁云⑨。

　　舟首尾长约八分有奇⑩，高可二黍许⑪。中轩敞者为舱⑫，箬篷⑬覆之。旁开小窗，左右各四，共八扇。启窗而观，雕栏相望⑭焉。闭之，则右刻"山

---

① 选自《虞初新志》卷十（清代张潮编，文学古籍刊行社1954年版）。略有删节。魏学洢（yī）（约1596—约1625），字子敬，明末嘉善（今浙江嘉兴）人。
② 〔奇巧人〕指手艺奇妙精巧的人。
③ 〔径寸之木〕直径一寸的木头。径，直径。
④ 〔为〕做。这里指雕刻。
⑤ 〔器皿（mǐn）〕盛东西的日常用具。
⑥ 〔木〕树木。
⑦ 〔罔不因势象形〕全都是就着（材料原来的）样子刻成（各种事物的）形象。罔不，无不、全都。因，顺着、就着。象，模拟。
⑧ 〔贻（yí）〕赠。
⑨ 〔盖大苏泛赤壁云〕（刻的）是苏轼游赤壁（的情景）。大苏，即苏轼，后人习惯于用"大苏"和"小苏"来称呼苏轼和他的弟弟苏辙。

泛，泛舟，乘船在水上游览。苏轼曾游赤壁，写过《赤壁赋》和《后赤壁赋》。赤壁，苏轼游的赤壁在黄州（今湖北黄冈）城外的赤鼻矶（jī），而东汉赤壁之战的赤壁，一般认为在今湖北嘉鱼东北。云，句末语气词。
⑩ 〔有奇（jī）〕有余，多一点儿。奇，零数、余数。
⑪ 〔高可二黍许〕大约有两个黄米粒那么高。一说，古代一百粒黍排列起来的长度为一尺，因此一个黍粒的长度为一分，这里的"二黍许"即二分左右。
⑫ 〔中轩敞者为舱〕中间高起而宽敞的部分是船舱。
⑬ 〔箬（ruò）篷〕用箬竹叶做的船篷。
⑭ 〔雕栏相望〕雕刻着花纹的栏杆左右相对。

高月小，水落石出①"，左刻"清风徐来，水波不兴②"，石青糁之③。

　　船头坐三人，中峨冠④而多髯⑤者为东坡，佛印⑥居右，鲁直⑦居左。苏、黄共阅一手卷⑧。东坡右手执卷端⑨，左手抚鲁直背。鲁直左手执卷末，右手指卷，如有所语⑩。东坡现右足，鲁直现左足，各微侧，其两膝相比者⑪，各隐卷底衣褶中⑫。佛印绝类弥勒⑬，袒胸露乳，矫首昂视⑭，神情与苏、黄不属⑮。卧右膝，诎⑯右臂支船，而竖其左膝，左臂挂念珠⑰倚之——珠可历历数⑱也。

　　舟尾横卧一楫。楫左右舟子⑲各一人。居右者椎髻⑳仰面，左手倚一衡㉑木，右手攀右趾，若啸呼状。居左者右手执蒲葵扇，左手抚炉，炉上有壶，其人视端容寂㉒，若听茶声然㉓。

　　其船背稍夷㉔，则题名其上，文曰"天启壬戌㉕秋日，虞山王毅叔远甫㉖刻"，细若蚊足，钩画了了㉗，其色墨。又用篆章㉘一，文曰"初平山人"，其色丹㉙。

---

① 〔山高月小，水落石出〕《后赤壁赋》里的句子。
② 〔清风徐来，水波不兴〕《赤壁赋》里的句子。徐，慢慢地。兴，起。
③ 〔石青糁（sǎn）之〕意思是用石青涂在刻着字的凹处。石青，一种青翠色颜料。糁，用颜料等涂上。
④ 〔峨冠〕高高的帽子。峨，高。
⑤ 〔髯（rán）〕两腮的胡子，也泛指胡须。
⑥ 〔佛印（1032—1098）〕宋代名僧，苏轼的朋友。
⑦ 〔鲁直〕宋代文学家黄庭坚（1045—1105），字鲁直，苏轼的朋友。
⑧ 〔手卷〕只能卷舒而不能悬挂的横幅书画长卷。
⑨ 〔卷端〕指手卷的右端。下文"卷末"，指手卷的左端。
⑩ 〔如有所语〕好像在说什么似的。语，说话。
⑪ 〔其两膝相比者〕他们的互相靠近的两膝。指东坡的左膝和鲁直的右膝。比，靠近。
⑫ 〔各隐卷底衣褶中〕各自隐藏在手卷下边的衣褶里。意思是从衣褶上可以看出相并的两膝。
⑬ 〔绝类弥勒〕极像弥勒佛。类，像。弥勒，佛教菩萨之一，佛寺中常有他的塑像，袒胸露腹，笑容满面。
⑭ 〔矫首昂视〕抬头仰望。矫，举。

⑮ 〔不属〕不相类似。
⑯ 〔诎（qū）〕弯曲。
⑰ 〔念珠〕又叫"佛珠"或"数（shù）珠"，佛教徒念佛号或经咒时用以计数的工具。
⑱ 〔可历历数〕可以清清楚楚地数出来。历历，分明的样子。
⑲ 〔舟子〕撑船的人。
⑳ 〔椎（chuí）髻〕形状像椎的发髻。椎，敲击的器具，一端较大或呈球形。
㉑ 〔衡〕同"横"。
㉒ 〔视端容寂〕眼睛正视着（茶炉），神色平静。
㉓ 〔若听茶声然〕好像在听茶水烧开了没有的样子。若……然，好像……的样子。
㉔ 〔船背稍夷〕船的顶部较平。船背，船顶，一说指船底。夷，平。
㉕ 〔天启壬戌（rénxū）〕天启壬戌年，即公元1622年。天启，明熹宗朱由校的年号（1621—1627）。
㉖ 〔虞山王毅叔远甫〕常熟人王毅字叔远。虞山，山名，在今江苏常熟西北，这里用来代指常熟。甫，男子美称，多附于字之后。
㉗ 〔了了〕清楚明白。
㉘ 〔篆（zhuàn）章〕篆字图章。
㉙ 〔丹〕朱红。

通计一舟，为人五；为窗八；为箬篷，为楫，为炉，为壶，为手卷，为念珠各一；对联、题名并篆文，为字共三十有四。而计其长曾不盈寸①。盖简②桃核修狭③者为之。嘻，技亦灵怪矣哉④！

❓ 思考探究

一　熟读课文，想象"核舟"上的情景。想一想，雕刻者高超的技艺主要表现在哪些方面？

二　小组合作设计一个表格，理清本文的说明顺序，并讨论：作者为什么不按照船头、中间、船尾的顺序一一介绍？

三　本文语言简洁、严密、生动，试结合下列句子做具体分析。

　　1. 明有奇巧人曰王叔远，能以径寸之木，为宫室、器皿、人物，以至鸟兽、木石，罔不因势象形，各具情态。

　　2. 舟首尾长约八分有奇，高可二黍许。

　　3. 舟尾横卧一楫。楫左右舟子各一人。居右者椎髻仰面，左手倚一衡木，右手攀右趾，若啸呼状。居左者右手执蒲葵扇，左手抚炉，炉上有壶，其人视端容寂，若听茶声然。

四　古代汉语中数量的表达方式与现代汉语有所不同。把下列句子翻译成现代汉语，看看不同在哪里。

　　1. 苏、黄共阅一手卷。

　　2. 舟尾横卧一楫。

　　3. 通计一舟，为人五；为窗八；为箬篷，为楫，为炉，为壶，为手卷，为念珠各一；对联、题名并篆文，为字共三十有四。

---

① 〔曾不盈寸〕竟然不满一寸。曾，竟然。盈，满。
② 〔简〕挑选。
③ 〔修狭〕长而窄。

④ 〔技亦灵怪矣哉〕技艺也真神奇啊！"矣"和"哉"连用，有加重惊叹语气的作用。

12 《诗经》二首①

预 习

◎《诗经》中有不少歌咏爱情的诗，或表达对美好爱情的向往和追求，或抒发爱而不得的忧伤和怅惘。这些诗，今天读来仍然会让人怦然心动，获得美的愉悦。诵读这两首诗，用心体会诗中歌咏的美好感情。

◎ 诵读时，要注意感受诗的韵律，初步了解《诗经》的语言特点。

关 雎②

关关雎鸠③，在河之洲④。
窈窕⑤淑女⑥，君子好逑⑦。

参差荇菜⑧，左右流⑨之。
窈窕淑女，寤寐⑩求之。
求之不得，寤寐思服⑪。
悠哉悠哉⑫，辗转反侧。

参差荇菜，左右采之。
窈窕淑女，琴瑟友之⑬。
参差荇菜，左右芼⑭之。
窈窕淑女，钟鼓乐之⑮。

① 选自《诗经注析》（中华书局1991年版）。《诗经》是我国最早的一部诗歌总集，收录了从西周到春秋时期的诗歌305篇，分为风、雅、颂三个部分。风，又叫"国风"，是各地的民歌。

② 选自《诗经·周南》。雎，读jū。《诗经》中诗的标题一般取自该诗的第一句。

③〔关关雎鸠（jiū）〕雎鸠鸟不停地鸣叫。关关，拟声词。雎鸠，一种水鸟，一般认为就是鱼鹰，传说它们雌雄形影不离。

④〔洲〕水中的陆地。

⑤〔窈窕（yǎotiǎo）〕文静美好的样子。

⑥〔淑女〕善良美好的女子。

⑦〔好逑（hǎoqiú）〕好的配偶。逑，配偶。

⑧〔荇菜〕一种可食的水草。

⑨〔流〕求取。

⑩〔寤寐（wùmèi）〕这里指日日夜夜。寤，醒时。寐，睡时。

⑪〔思服〕思念。服，思念。

⑫〔悠哉悠哉〕形容思念之情绵绵不尽。悠，忧思的样子。

⑬〔琴瑟友之〕弹琴鼓瑟对她表示亲近。

⑭〔芼（mào）〕挑选。

⑮〔钟鼓乐之〕敲钟击鼓使她快乐。

蒹 葭①

蒹葭苍苍②，白露为霜。
所谓伊人③，在水一方④。
溯洄从之⑤，道阻⑥且长。
溯游⑦从之，宛在水中央⑧。

蒹葭萋萋⑨，白露未晞⑩。
所谓伊人，在水之湄⑪。
溯洄从之，道阻且跻⑫。
溯游从之，宛在水中坻。

蒹葭采采⑬，白露未已⑭。
所谓伊人，在水之涘⑮。
溯洄从之，道阻且右⑯。
溯游从之，宛在水中沚⑰。

① 选自《诗经·秦风》。蒹葭（jiānjiā），芦苇。
② 〔苍苍〕茂盛的样子。
③ 〔伊人〕那人，指所爱的人。
④ 〔在水一方〕在水的另一边，指对岸。
⑤ 〔溯洄（sùhuí）从之〕逆流而上去追寻。溯洄，逆流而上。洄，逆流。从，跟随、追寻。之，代"伊人"。
⑥ 〔阻〕艰险。
⑦ 〔溯游〕顺流而下。
⑧ 〔宛在水中央〕好像在水的中央，意思是相距不远却无法接近。
⑨ 〔萋萋〕茂盛的样子。
⑩ 〔晞（xī）〕干。
⑪ 〔湄（méi）〕岸边，水与草相接的地方。
⑫ 〔跻（jī）〕（路）高而陡。
⑬ 〔采采〕茂盛鲜明的样子。
⑭ 〔未已〕没有完，这里指还没有干。
⑮ 〔涘（sì）〕水边。
⑯ 〔右〕向右迂曲。
⑰ 〔沚（zhǐ）〕水中的小块陆地。

思考探究

一 《诗经》多采用重章叠句的形式，即上下句或上下章基本相同，只是有几个字不同，造成回环往复的表达效果。选择本课中的一首诗，做具体分析。

二 《诗经》经常使用比、兴手法。比，即比喻；兴，指先说别的事物，引出所吟咏的对象。诵读这两首诗，看看哪些诗句使用了比、兴手法，并举例分析。

三 《蒹葭》一诗没有直接诉说主人公的思念之情，但其思念却绵远悠长；没有直接描写"伊人"，但其身影却无处不在。说说这首诗是怎样达到这种效果的。

四 《诗经》中的诗多是四字一句，两字一顿，各章还常常重复咏唱。朗读并背诵这两首诗，感受其节奏和韵律。

五 下面是对《关雎》第一章的一种翻译，你喜欢吗？为什么？另选一章，试着翻译成白话诗。

> 雎鸠鸟关关合唱，在河心小小洲上。
> 好姑娘苗苗条条，哥儿想和她成双。
>
> （余冠英《诗经选译》）

《诗经》简介

　　《诗经》，先秦时叫作《诗》或《诗三百》，到了汉代被奉为经典，尊称为《诗经》，列为"五经"之一。

　　《诗经》是我国最早的诗歌总集，也是我国诗歌现实主义传统的源头。它汇集了从西周初年到春秋中叶（约公元前11世纪至公元前6世纪）的诗歌305篇。

　　《诗经》中的诗当初都是配乐的歌词，按所配乐曲的性质分成风、雅、颂三类。"风"是各地方的民歌民谣；"雅"是正统的宫廷乐歌，用于宴会的典礼；"颂"是祭祀乐歌，用于宫廷宗庙祭祀。《诗经》中主要的表现手法是赋、比、兴。赋是直陈其事，比是借物譬喻，兴是托物起兴。风、雅、颂、赋、比、兴合称"六义"，是古人对《诗经》艺术经验的总结。

学写读后感

我们阅读的时候常常会有所触动，或得到一些启发，把这些写下来，就是读后感。写读后感可以加深对原作的理解，提高写作能力。

阅读所获得的感受可能是多方面的。有的是对作品主题的思考，有的是对某部分内容的理解，还有的是对某个细节或某些语句的感悟。这就要在思考、分析的基础上，选择最值得和别人分享的内容来写。

写读后感，要注意以下几点。

一、适当引述。要在充分理解原文的基础上，对自己感触较深的部分直接引述，也可以对原文加以概括，间接引述。

二、感受力求深入。读完原文后，或许你会产生很丰富的感触，但比较平常、浅显，直接写下来，可能是蜻蜓点水、浮光掠影式的。这就要反复思考、提炼，把自己的感受明晰化、条理化。写作时，还可以从多个角度或层次来思考与表述。

三、联系阅读积累及生活经验。写作中，应该联系自己的阅读积累，来印证或深化当前的阅读感受，还可结合生活经历中的类似体会来写。这样才能使读后感内容丰富，容易获得读者的认同。

下面是一名同学写的《小石潭记》读后感的提纲：

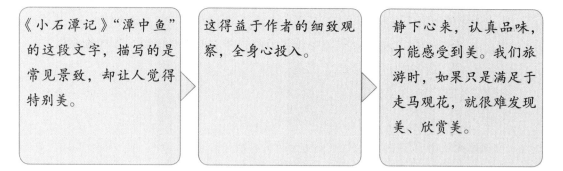

写读后感，要以"感"为主，"感"是作文的重点。写读后感时，容易犯引述原文过多的毛病，"感"的内容单薄，被淹没在引述当中。这是要注意避免的。

看电影或电视剧时，也会有一些感受和想法，写下来，就是观后感。观后感的写法与读后感类似。

写作实践

一 就本学期学过的某篇课文，写一则随感。200字左右。

    提示：

    1. 选定课文后，可以再仔细读一遍，然后选择自己感触最深的一点来写。

    2. 尽量少引述，重点写出自己的感受。

    3. 可以写得自由灵动些，尽可能富有新意。

二 就你读过的某部名著，写一篇读后感，题目自拟。不少于600字。

    提示：

    1. 可以针对这部名著的整体或其中某一个章节、片段来写。选定之后，重读一遍，然后从多方面的阅读感受中选择一点来写。

    2. 引用名著原文时，要仔细核对，以保证引文与原文一致。

    3. 要写出自己独特的感受，力求新颖，并联系个人生活经验来谈，但不能脱离原著任意发挥。

三 你看过不少电影和电视剧吧，其中哪一部给你的印象最深？为什么？就此写一篇观后感，题目自拟。不少于600字。

    提示：

    1. 回忆你看过的电影或电视剧，选出印象最深的一部，想一想，剧中的哪个人物、哪个情节（或细节）打动了你？

    2. 分析剧中人物或情节打动你的原因，可以联系自己的生活经验来谈。

古诗苑漫步

中国是一个诗的国度。特别是古典诗歌，源远流长，名家辈出，佳作如林，在中华文明史上蔚为壮观。今天，让我们漫步于古诗苑，含英咀华，接受一次美的洗礼吧。

下面安排了三项活动，任选一项完成。

一、声情并茂诵古诗

学习古诗离不开朗诵。选择一两首你喜爱的诗歌，以小组为单位，开展古诗朗诵活动。

1. 选定诗歌后，认真领会意境，揣摩语言，把握节奏。可以配上你喜爱的乐曲作为背景音乐，也可以自编音乐，声情并茂地朗诵。

2. 一名同学朗诵时，其他同学可以担任评委，从读音、语调、表情、背景音乐与意境的配合等方面评判，选出优胜者。

3. 小组内评选出的优胜者，可以推举为代表，到班里参加评比。班里的评比可以邀请老师担任评委，选出优胜者并予以奖励。

有条件的学校，也可以开展唱古诗或吟诵古诗活动。

唱古诗

唱古诗一般有两种途径。一是用今人为古诗谱的曲子。如《诗经》中的《关雎》、李煜的《虞美人》、苏轼的《水调歌头》、岳飞的《满江红》等，今人都曾为它们谱过曲。二是让一些现成曲谱与古诗"联姻"。这种方法便捷好用，饶有趣味。几十年前，弘一法师（李叔同）那首著名的"长亭外，古道边，芳草碧连天"，配的就是一支外国曲子。叶至善先生为150首古诗编配了曲调，比如用印尼民歌《划船歌》配《蒹葭》，用内蒙古民歌《嘎达梅林》配《敕勒歌》，用加拿大民歌《红河谷》配杜牧的《泊秦淮》，用俄罗斯民歌《纺织姑娘》配李之仪的《卜算子》，唱起来都别有韵味。

卜算子

1=D 6/8

李之仪作词
叶至善配曲

5 3 6 5 | 5. 4. | 5 7 2 6 5 | 3. 3 0 | 1 3 5 i 7 |
我 住 长 江 头， 君 住 长 江 尾。 日 日 思 君 不

7. 6. | 7 6 5 7 | 1. 1 0 | 5 3 6 5 | 5. 4. |
见 君， 共 饮 长 江 水。 此 水 几 时 休，

5 7 2 6 5 | 3. 3 0 | 1 3 5 i 7 | 7. 6. | 7 7 6 5 7 |
此 恨 何 时 已? 只 愿 君 心 似 我 心， 定 不 负 相 思

1. 1 0 | 1 3 5 3 2 | 2. i. | 7 7 6 5 7 | 1. 1 0 ‖
意。 只 愿 君 心 似 我 心， 定 不 负 相 思 意。

二、别出心裁品古诗

我国古代诗歌一向追求诗情画意，苏轼评价唐代王维的诗和画是"诗中有画，画中有诗"。其实，不仅是与绘画，诗歌与很多艺术形式都有相通之处。只要用心体会，便会发现，许多诗歌都可以借助其他的艺术形式来表现。以小组为单位，任选一种艺术形式，表现某一首古诗的内容。

1. 艺术形式可以是书法、绘画、音乐、舞蹈、戏剧等。比如，可以将柳宗元的《江雪》画成一幅画或写成书法作品；可以为李清照的《渔家傲》谱曲，并根据音乐和词的意境编一段舞蹈；可以把《木兰诗》改编成一个剧本，摄制成短片或制作电脑动画；等等。

2. 小组分工合作准备或排演，在班里集中展示。

3. 小组推荐代表发言，谈本组的创作思路，以及对不同艺术形式表现效果的认识。

三、分门别类辑古诗

从小学到现在，大家已经读过、背过不少古诗了。以小组为单位，选定一个专题，把记忆中的相关古诗辑录到一起，编成一本专题诗集。

1. 确定专题，选择古诗。如古诗中的春夏秋冬，古诗中的风花雪月，古诗中的湖光山色，古诗中的名胜古迹，古诗中的离情别绪等。将相关古诗辑录起来，并按一定的顺序排列。

2. 注释评点。分工合作，给每首古诗作注释，并撰写简要的赏析、评点文字。

3. 编辑成集。为诗集起一个新颖别致的名字；设计版式、插图、封面；还可以写一篇"前言"或"编后记"，简单记录这本诗集的编辑过程。

4. 交流分享。编好之后，小组之间互相传阅、评价，共享"编书"的快乐。

古诗中的"雨"

寒雨连江夜入吴，平明送客楚山孤。——王昌龄《芙蓉楼送辛渐》（其一）

渭城朝雨浥轻尘，客舍青青柳色新。——王维《送元二使安西》

空山新雨后，天气晚来秋。——王维《山居秋暝》

细雨鱼儿出，微风燕子斜。——杜甫《水槛遣心》（其一）

好雨知时节，当春乃发生。——杜甫《春夜喜雨》

清明时节雨纷纷，路上行人欲断魂。——杜牧《清明》

古诗中的"花"

桃之夭夭，灼灼其华。——《诗经·周南·桃夭》

五月榴花照眼明，枝间时见子初成。——韩愈《榴花》

唯有牡丹真国色，花开时节动京城。——刘禹锡《赏牡丹》

开花占得春光早，雪缀云装万萼轻。——李绅《北楼樱桃花》

朵朵精神叶叶柔，雨晴香拂醉人头。——杜牧《蔷薇花》

暗暗淡淡紫，融融冶冶黄。——李商隐《菊》

疏影横斜水清浅，暗香浮动月黄昏。——林逋《山园小梅》（其一）

纵被春风吹作雪，绝胜南陌碾成尘。——王安石《北陂杏花》

《傅雷家书》 选择性阅读

傅 雷

> 他的家教如此之严，望子成龙的心情如此之热烈。他要把他的儿子塑造成符合于他的理想的人物。这种家庭教育是相当危险的，没有几个人能成功，然而傅雷成功了。
>
> ——施蛰存
>
> 这是一部最好的艺术学徒修养读物，这也是一部充满着父爱的苦心孤诣、呕心沥血的教子篇。
>
> ——楼适夷

傅雷是一位杰出的翻译家。他一生翻译法国文学作品和学术著作30余种，其中最具代表性的有巴尔扎克的《欧也妮·葛朗台》、罗曼·罗兰的《约翰·克利斯朵夫》、丹纳的《艺术哲学》等，为中法之间的文化交流做出了卓越贡献。

傅雷还是一位特殊的教育家，一位严厉、尽责同时不乏爱心的父亲，这主要体现在他对儿子的教育中。在他去世十几年后，他的家人将他与儿子的来往书信辑录为《傅雷家书》，收录了1954年到1966年间傅雷及其夫人写给两个儿子（主要是长子傅聪）的家信100多封。这本书信集出版后，产生了很大的影响。

对如何教育孩子，傅雷有自己的独特见解。他认为，无论从事什么职业，做人是第一位的。因此，这些家书中首先强调的，是一个年轻人如何做人的问题。对居住海外的长子傅聪，傅雷只能通过书信对其生活和艺术追求进行悉心指导。在信中，傅雷常以自己的经历为例教导儿子：待人要谦虚，做事要严谨，礼仪要得体；遇困境不气馁，获大奖不骄傲；要有国家和民族的荣辱感，要有艺术、人格的尊严，做一个"德艺俱备、人格卓越的艺术家"。

作为父亲，傅雷很关心儿子的生活与成长。儿子在日常生活中可能遇到的种种问题，比如如何劳逸结合，如何正确理财，以及如何正确处理恋爱婚姻等问题，他在信中都多次谈及，并提出意见和建议。爱子之情，溢于言表。

傅雷在艺术方面有很深的造诣，信中常用大量篇幅谈美术，谈音乐作品，谈表现技巧和艺术修养等。不管是傅聪去波兰留学，获得国际大奖，还是后来赴世界各地演出，傅雷始终关注着儿子在音乐艺术道路上的成长，不时给予指点。傅雷还经常给儿子邮寄中国古典文学名著和有关绘画、雕塑等艺术理论方面的书籍，鼓励他多从诗歌、戏剧、美术等艺术门类中汲取营养，提高自身的艺术修养。

家书是真情的流露，再加上傅雷深厚的文字功底和艺术修养，使得这些文字生动优美，读来感人至深。我们也能从中学到不少做人的道理，提高自己的道德与艺术修养。

读书方法指导

我们今天所处的时代，是一个信息爆炸的时代。知识增长大大超过个人的接受速度，引发了学习方式的变革。就读书来说，选择性阅读变得更加重要。

选择性阅读是一种理性的、目的性很强的阅读方式，它往往和阅读者的兴趣、思考、关注点密不可分。概括起来，大致有以下一些情形。

一、兴趣选择。读整本书，特别是读大部头作品时，不是所有的内容都能引起你的兴趣，但一定有特别吸引你的地方，这就存在一个取舍的问题。例如，对音乐、绘画、雕塑等艺术有一定修养或比较熟悉的人，会对《傅雷家书》中有关艺术的论述产生兴趣，会认真去读；相反，如果是对这些艺术很陌生的人，就可能对"谈艺"的部分略而不读。

二、问题选择。无论是博览群书，还是读一部书，经常会有一个关注的焦点。爱因斯坦读书，一般只关注与他思考的问题有关的内容，而抛弃那些无关紧要的东西。这样，他边读边抛，书越读越薄，记忆的负担越来越轻，思想却愈加深邃。苏轼也常常反复读同一部史书，每次只关注一个方面的内容，而对其他方面视而不见。他在这种选择性阅读中获益匪浅，写出了不少史论。想一想，《傅雷家书》中有关成长的话题，是不是对你很有启发呢？在阅读时，可以分门别类，以问题的形式梳理一下。

三、目的选择。根据不同的读书目的，可以选择不同的阅读内容。例如，如果是为了与课内学习沟通衔接，就要关注与课内关联度较高的内容；如果是为了写读后感，就要关注感受最多、体会最深的内容；如果是为了质疑批判，就要关注你认为可以商讨、指瑕的内容。想一想，《傅雷家书》中的哪些内容适合以上哪种阅读目的？如果你关注的是学习方法，你会读哪些内容？

四、方法选择。阅读不同的文本，可以采取不同的方法。例如，实用文体可以采取"冷读"的方法，阅读时头脑冷静，心平气和，这样有利于把握概念，抓住要点，深入理解；文学作品则可以采取"热读"的方法，阅读时可以调动感情，鼓舞精神，一气贯注，达到感同身受或身临其境的效果。再如，理解、记忆性阅读，可以采取默读的方法；评价、探究性阅读，可以采取评点批注的方法；消遣、娱乐性阅读，可以采取浏览跳读的方法。想一想，读《傅雷家书》，适合采取哪一种阅读方法呢？

专题探究

全班共同阅读《傅雷家书》，然后根据各自的兴趣选择自己喜欢的专题，也可以另外选择专题，分小组进行探究。

专题一：傅雷的教子之道

傅雷给儿子提出的建议涉及很多方面，如生活细节、人际交往、读书求学、感情处理等。可以任选其中一个或几个方面，探讨傅雷的教子之道，完成一篇读书报告。

专题二：父子情深

这本书是父亲写给儿子的家信集，父爱流淌在朴实的文字背后，深沉而温暖。运用选择性阅读的方法，将关注点聚焦在"父子情深"这个话题上，试着去发现那些苦心说教背后流露出的浓浓父爱。结合具体语段，细心揣摩傅雷的心情，以《两地书，父子情》为题写一篇短文。

专题三：我给傅雷写回信

这本书涉及道德、文化、艺术、历史等多个领域，可以选择一个感兴趣的话题，尽可能全面地梳理傅雷的观点，并进行归纳概括。假设你可以与傅雷就这一话题进行交流，试着写一封信，表达你对他的观点的理解或你对这个话题的看法。

自主阅读推荐

乔斯坦·贾德《苏菲的世界》

14岁的女孩苏菲有一天放学回家，收到一封神秘的来信，信上只有一句话——

"你是谁？"

从此之后，神秘而不寻常的来信接踵而至，向她提出一些看似莫名其妙的问题："世界从何而来？""万事万物是否由一种基本的物质组成？水能变成酒吗？泥土与水何以能制造出一只活生生的青蛙？""积木为何是世界上最巧妙的玩具？"……这些问题引导她不断思索，由此，一幅伟大的画卷在她面前展开，苏格拉底、柏拉图、亚里士多德、笛卡儿、斯宾诺莎、康德、黑格尔、马克思、达尔文、弗洛伊德等历史伟人灿若星辰，启人智慧；同时，接二连三的诡异事件也不断地将苏菲引向另一个奇妙的世界……

这就是挪威作家乔斯坦·贾德的《苏菲的世界》。它是一部引人入胜的小说，也是一部通俗而有趣的哲学启蒙读物。在这部书中，通常被认为深奥晦涩、枯燥乏味、令人昏昏欲睡的哲学并未摆出一副"高冷"的面孔，而是以平易的面貌示人，时而是日常的信函，时而是亲切的对谈，时而是哲学大师们的小故事。那一连串如雷贯耳的名字，也不再是教科书中冰冷的符号，而是化身为一个个鲜活生动的人，将他们对于人类和宇宙终极问题的思考娓娓道来。打开这本书，和苏菲一起踏上这美妙的哲学之旅吧！

朱光潜《给青年的十二封信》

作为中学生的你，告别了懵懂的童年，也许开始对很多事物产生迷茫。你是否有时忧来无方，连自己也感觉莫名其妙？少年天性喜动，家长却时时提醒要安静，动静之间有何奥秘？老师终日耳提面命，要读书，读书，可是每天在学校念讲义看课本不就是读书吗？羡慕他人做得好文章，发宏愿去学习，该如何着手呢？既要读万卷书，又要行万里路，知与行，不可偏废是否更稳妥？生活中，一时情感占优势，一时理智居上风，情与理，到底人生受谁支配更多？规划未来，是遵从个人兴趣，还是考虑社会需要，应该如何抉择？生命旅途中，歧路众多，徘徊顾虑，又该如何取舍？

这些问题，或大或小，可能都是你所关心的，期望有人指点迷津，拨开生命的迷雾，指明人生的方向。《给青年的十二封信》一书就针对这些问题给出了答案。

这本小书是朱光潜先生于20世纪20年代留学英国期间，专门写给中学生的，以书信的形式，每次一个话题，探讨读书、习俗与革新、爱情与道德、升学与专业、参与社会运动，以及人生烦恼与乐趣等。话题不同，讨论的重点不同，但隐隐有一个基本理念贯串其中，那就是希望中学生学会生活，既要发挥"人生来好动"的天性，去发展，去创造，又要心境空灵，于静中领略人生的趣味。

书信体营造出对坐晤谈的氛围，读来如听长者交心，语重心长，情辞恳切，其中流淌着朱先生对青年人的殷切希望和赤诚关怀。每一封书信都旁征博引，阐发深刻，闪现着理性的光芒。相信读完此书，你在人生路途上会"有些力量"。

式微① 《诗经·邶风》

式微式微，胡②不归？
微③君④之故，胡为乎中露⑤？

式微式微，胡不归？
微君之躬⑥，胡为乎泥中？

日落天黑，还在露水中泥地里劳作，怎能没有怨言呢？这是一首劳役者的悲歌，以咏叹的方式、质问的语气，直抒胸臆，堪称"饥者歌其食，劳者歌其事"的经典之作。全诗在反复中强化，在叠加中升华，表情达意，痛快淋漓。阅读时要注意体味《诗经》中那种常见的风致：内容极其单纯，以重章叠句营造特别的氛围，抒发质朴率真的情感。

① 选自《诗经注析》（中华书局1991年版）。式微，意思是天黑了。式，语气助词。微，昏暗。邶（bèi）风，邶地的民歌。邶，今河南淇县北部一带。
②〔胡〕何，为什么。
③〔微〕（如果）不是。
④〔君〕君主。
⑤〔中露〕即露中，在露水中。
⑥〔微君之躬〕（如果）不是为了养活你们。躬，身体。

子衿⑦ 《诗经·郑风》

青青子衿，悠悠⑧我心。
纵我不往，子宁⑨不嗣⑩音？

青青子佩⑪，悠悠我思。
纵我不往，子宁不来？

挑兮达兮⑫，在城阙⑬兮。
一日不见，如三月兮！

她痴迷地思念心中的恋人，那青绿的衣领、佩玉的绶带让她沉醉。约会不遇，失落惆怅，不可遏止。爱之既深，责之必切。对于他的失约，她也许想到种种原因，但无论如何难以谅解。两句"纵我不往"，以假设的语气、让步的姿态，做出了强烈的反问。然而，她到底还是无可奈何，只好一个人徘徊城头，抒发她那"一日不见，如三月兮"的感慨。这是一首古老的恋歌，跌宕起伏，缠绵悱恻，婉转动人，穿越了两千多年的岁月，读来仍能产生共鸣。

⑦ 选自《诗经注析》（中华书局1991年版）。子衿（jīn），你的衣领。子，你。衿，衣领。郑，今河南新郑一带。
⑧〔悠悠〕深思的样子。
⑨〔宁（nìng）〕岂，难道。
⑩〔嗣（sì）〕接续，继续。
⑪〔佩〕指佩玉的带子。
⑫〔挑（tāo）兮达（tà）兮〕即挑达，独自徘徊的样子。
⑬〔城阙（què）〕城门两边的楼台。

送杜少府之任蜀州^①　王　勃

城阙辅三秦^②，风烟望五津^③。
与君离别意，同是宦游人。
海内存知己，天涯若比邻。
无为在歧路^④，儿女^⑤共沾巾^⑥。

　　朋友离京赴任，即将远隔万水千山，离愁别恨在所难免。这首诗却抛开了伤感的情绪，唱出了一曲高亢嘹亮的别离之歌。诗人着一"望"字，即把目光从镇控三秦的煌煌京城，移向风烟迷蒙的巴山蜀水，充满深情厚意。他安慰朋友不要忧愁，在朝在野，"同是宦游人"。真挚的友情，可以克服空间的阻隔，消除孤独的苦闷。青春年少，当奋发有为，怎么会面临"歧路"泣下沾巾呢？古人的送别诗多给人悲戚之感，这首诗却一扫离别的千古愁云，给人以积极向上的力量，"海内存知己，天涯若比邻"更成为历代传唱的名句。

望洞庭湖赠张丞相^⑦　孟浩然

八月湖水平，涵虚^⑧混太清^⑨。
气蒸云梦泽^⑩，波撼岳阳城。
欲济无舟楫^⑪，端居耻圣明^⑫。
坐观垂钓者，徒有羡鱼情^⑬。

　　乍读此诗可能不解："望洞庭湖"与"赠张丞相"有什么关系呢？原来，诗人以写洞庭湖为发端，以"欲济无舟楫"为喻，巧妙过渡，婉转含蓄地表达了自己从政的心愿，希望得到举荐。全诗意在求仕，却不直接告白，不露乞怜痕迹，大方得体，深婉有致。诗的前半写"望洞庭湖"，"平""涵""混""蒸""撼"等词，锤炼精妙，富有表现力，写出了烟波浩渺、水天合一的宏伟气象，以及汹涌澎湃的磅礴气势。这首投赠诗，也因此成为后人心中描摹山水的佳作。

① 选自《王子安集注》卷三（上海古籍出版社 1995 年版）。王勃（约 650—676），字子安，绛州龙门（今山西万荣）人，唐代诗人。少府，县尉的别称。蜀州，今四川崇州。
② 〔城阙辅三秦〕意思是三秦辅卫着长安。城阙，指长安。三秦，指关中地区。项羽灭秦后，把秦故地分封给秦王朝的三名降将，故称"三秦"。
③ 〔五津〕指岷江上的五个渡口，即白华津、万里津、江首津、涉头津、江南津，这里代指蜀州。
④ 〔歧路〕岔路口。
⑤ 〔儿女〕恋爱中的青年男女。
⑥ 〔沾巾〕泪沾手巾，形容落泪之多。
⑦ 选自《孟浩然集校注》卷三（人民文学出版社 1989 年版）。孟浩然（689—740），襄阳（今属湖北）人，唐代诗人。张丞相，指张九龄（678—740），唐玄宗时为相。
⑧ 〔涵虚〕指水映天空。涵，包含。虚，天空。
⑨ 〔混太清〕与天空浑然一体。太清，天空。
⑩ 〔云梦泽〕古代大湖，在洞庭湖北面。
⑪ 〔欲济无舟楫〕想渡湖却没有船只，比喻想从政而无人引荐。济，渡。
⑫ 〔端居耻圣明〕闲居在家，因有负太平盛世而感到羞愧。端居，闲居、平常家居。
⑬ 〔徒有羡鱼情〕只能白白地产生羡鱼之情了。这句隐喻想出来做官而没有途径。

第四单元　活动·探究

活动任务单

在公共场合，有的人说话旁征博引，幽默风趣，魅力四射，能牢牢地抓住听众的注意力；有的人则结结巴巴，紧张不已，甚至词不达意。其实，这种当众讲话的能力，便是演讲水平的一个重要体现。本单元，我们将跟随演讲者，走入演讲的现场，去感受他们不同的风格，汲取自己需要的营养。在此基础上，学习撰写演讲稿，举办演讲比赛。

任务一

学习演讲词。 阅读教材提供的四篇演讲词，理解作者的思想观点，把握演讲词的特点；在了解作者和演讲背景的基础上进行模拟演讲。

任务二

撰写演讲稿。 在把握演讲词特点的基础上，学习演讲稿的写法，自己撰写一篇演讲稿。

任务三

举办演讲比赛。 课外搜集视频或音频资料，了解演讲的基本技巧。以"任务二"撰写的演讲稿为基础，举办一次班级演讲比赛。

1. 参考以下提示，阅读四篇演讲词，把握演讲词的主要特点。

> ◎ 四篇演讲词特点鲜明，风格各异。这固然是因为演讲者的个性、职业、教育背景有所不同，但也与演讲的针对性关系密切。阅读时要思考这里的"针对性"包括哪些因素，在演讲词中是怎样体现出来的。
>
> ◎ 演讲的类型很多，但大都要有鲜明的观点、明确的态度、清晰的思路、充实的内容。阅读时，要注意理解这四篇演讲词的主要观点，特别要关注演讲者是怎样围绕观点来设计思路、组织内容的。
>
> ◎ 为了增强演讲的感染力、说服力，演讲者往往会借助一些语言技巧。仔细品味四篇演讲词的语言，说说演讲者是如何借助语言技巧吸引听众、引起共鸣的。

2. 学习演讲词，不能只是"读"，还要试着"讲"。要在"讲"的过程中进一步理解演讲词的特点，体会演讲的"感觉"，为"任务二"撰写演讲稿和"任务三"举办演讲比赛做些准备。

> ◎ 以小组为单位，每组从四篇课文中任选两到三个段落，结合阅读所得，研讨怎样演讲才能更好地体现这些演讲词的风格，展现原演讲者的风采。
>
> ◎ 试着在小组内模拟演讲，相互评价、讨论，不断改进提高。每组推选两名同学在全班做展示，一人模拟演讲，一人解说为什么这样演讲。

13 最后一次讲演①

闻一多

这几天，大家晓得，在昆明出现了历史上最卑劣最无耻的事情！李先生②究竟犯了什么罪，竟遭此毒手？他只不过用笔写写文章，用嘴说说话，而他所写的，所说的，都无非是一个没有失掉良心的中国人的话！大家都有一支笔，有一张嘴，有什么理由拿出来讲啊！有事实拿出来说啊！（闻先生声音激动了）为什么要打要杀，而且又不敢光明正大地来打来杀，而偷偷摸摸地来暗杀！（鼓掌）这成什么话？（鼓掌）

今天，这里有没有特务？你站出来！是好汉的站出来！你出来讲！凭什么要杀死李先生？（厉声，热烈的鼓掌）杀死了人，又不敢承认，还要诬蔑人，说什么"桃色事件"③，说什么共产党杀共产党，无耻啊！无耻啊！（热烈的鼓掌）这是某集团④的无耻，恰是李先生的光荣！李先生在昆明被暗杀，是李先生留给昆明的光荣！也是昆明人的光荣！（鼓掌）

去年"一二·一"⑤昆明青年学生为了反对内

开头一段，义愤填膺，慷慨激昂。这种情绪是如何传达出来的？

---

① 选自《闻一多全集》第三卷（生活·读书·新知三联书店1982年版）。有删节。抗日战争结束以后，国民党反动派不顾全国人民对和平民主的迫切要求，继续发动内战，并对爱国民主运动进行镇压。1946年7月11日，李公朴因参加爱国民主运动，在昆明被国民党特务暗杀。7月15日，闻一多在李公朴的追悼会上发表了这一演讲，当天下午被国民党特务暗杀。

② 〔李先生〕指李公朴。

③ 〔桃色事件〕当时把男女关系所引起的事件叫"桃色事件"。国民党反动派暗杀李公朴

后，企图在人民面前掩饰他们的罪行，造谣说李公朴被暗杀是因为"桃色事件"。

④ 〔某集团〕指国民党反动派。

⑤ 〔一二·一〕1945年11月25日晚，昆明市大中学生六千余人在西南联合大学举行反内战时事晚会，国民党反动派派出军队包围会场，开枪放炮，进行威胁，并在学校附近戒严，禁阻师生通行。于是，各校学生联合罢课。12月1日，国民党反动派派大批军警和特务至西南联合大学、云南大学等校殴打学生，并投掷手榴弹，死四人，伤数十人。

战，遭受屠杀，那算是青年的一代献出了他们最宝贵的生命！现在李先生为了争取民主和平而遭受了反动派的暗杀，我们骄傲一点说，这算是像我这样大年纪的一代，我们的老战友，献出了最宝贵的生命！这两桩事发生在昆明，这算是昆明无限的光荣！（热烈的鼓掌）

反动派暗杀李先生的消息传出以后，大家听了都悲愤痛恨。我心里想，这些无耻的东西，不知他们是怎么想法，他们的心理是什么状态，他们的心怎样长的！（捶击桌子）其实很简单，他们这样疯狂地来制造恐怖，正是他们自己在慌啊！在害怕啊！所以他们制造恐怖，其实是他们自己在恐怖啊！特务们，你们想想，你们还有几天？你们完了，快完了！你们以为打伤几个，杀死几个，就可以了事，就可以把人民吓倒了吗？其实广大的人民是打不尽的，杀不完的！要是这样可以的话，世界上早没有人了。

演讲者谈及特务时直呼"你们"，面对听众时则用"我们"。这两种不同的称呼有什么表达效果？

你们杀死一个李公朴，会有千百万个李公朴站起来！你们将失去千百万的人民！你们看着我们人少，没有力量？告诉你们，我们的力量大得很，强得很！看今天来的这些人，都是我们的人，都是我们的力量！此外还有广大的市民！我们有这个信心：人民的力量是要胜利的，真理是永远存在的。历史上没有一个反人民的势力不被人民毁灭的！希特勒，墨索里尼，不都在人民之前倒下去了吗？翻开历史看看，你们还站得住几天！你们完了，快完了！我们的光明就要出现了。我们看，光明就在我们眼前，而现在正是黎明之前那个最黑暗的时候。我们有力量打破这个黑暗，争到光明！我们的光明，就是反动派的末日！（热烈的鼓掌）

结合背景材料，想一想这里的"光明"和"黑暗"分别指什么。

李先生的血不会白流的！李先生赔上了这条性命，我们要换来一个代价。"一二·一"四烈士倒下了，年青的战士们的血换来了政治协商会议的召开；现在李先生倒下了，他的血要换取政协会议的重开！（热烈的鼓掌）我们有这个信心！（鼓掌）

"一二·一"是昆明的光荣，是云南人民的光荣。云南有光荣的历史，远的如护国①，这不用说了，近的如"一二·一"，都是属于云南人民的。我们要发扬云南光荣的历史！（听众表示接受）

反动派挑拨离间，卑鄙无耻，你们看见联大走了，学生放暑假了，便以为我们没有力量了吗？特务们！你们错了！你们看见今天到会的一千多青年，又握起手来了，我们昆明的青年决不会让你们这样蛮横下去的！

反动派，你看见一个倒下去，可也看得见千百个继起的！

正义是杀不完的，因为真理永远存在！（鼓掌）

历史赋予昆明的任务是争取民主和平，我们昆明的青年必须完成这任务！

我们不怕死，我们有牺牲的精神！我们随时像李先生一样，前脚跨出大门，后脚就不准备再跨进大门！（长时间热烈的鼓掌）

这里的情感发生了变化，你体会到了吗？

想象现场的氛围，感受演讲的气势。

三　读读写写

晓得	卑劣	无耻	毒手	诬蔑	屠杀
悲愤	捶击	恐怖	势力	毁灭	卑鄙
蛮横	赋予	光明正大		挑拨离间	

————————

① 〔护国〕指1915年至1916年，为反对袁世凯复辟帝制而发动的"护国战争"。反袁的护国军最初是在云南宣布起义的。

14 应有格物致知精神①

丁肇中

开场白，从获奖自然转入教育问题。

我非常荣幸地接受《瞭望》周刊授予我的"情系中华"征文特别荣誉奖。我父亲是受中国传统教育长大的，我受的教育的一部分是传统教育，一部分是西方教育。缅怀我的父亲，我写了《怀念》这篇文章。多年来，我在学校里接触到不少中国学生，因此，我想借这个机会向大家谈谈学习自然科学的中国学生应该怎样了解自然科学。

承接"传统教育"，引出"格物致知"的话题，并赋予它新的意义。

在中国传统教育里，最重要的书是"四书"。"四书"之一的《大学》里这样说：一个人教育的出发点是"格物"和"致知"。就是说，从探察物体而得到知识。用这两个词语描写现代学术发展是再恰当也没有的了。现代学术的基础就是实地的探察，就是我们现在所谓的实验。

但是传统的中国教育并不重视真正的格物和致知。这可能是因为传统教育的目的并不是寻求新知识，而是适应一个固定的社会制度。《大学》本身就说，格物致知的目的，是使人能达到诚意、正心、修身、齐家、治国的田地，从而追求儒家的最高理想——平天下。因为这样，格物致知的真正意义便被埋没了。

举王阳明的例子，想要说明什么？

大家都知道明朝的大哲学家王阳明②，他的思想可以代表传统儒家对实验的态度。有一天，王阳明要依照《大学》的指示，先从"格物"做起。他

---

① 选自《瞭望》1991年第44期。有改动。这是作者1991年10月在北京人民大会堂举行的"情系中华"大会上发表的演讲。丁肇（zhào）中，1936年生，祖籍山东日照，美籍华裔物理学家。获1976年诺贝尔物理学奖。

② 〔王阳明〕即王守仁（1472—1529），字伯安，世称阳明先生，余姚（今属浙江）人，明代哲学家、教育家。

决定要"格"院子里的竹子。于是他搬了一条凳子坐在院子里，面对着竹子硬想了七天，结果因为头痛而宣告失败。这位先生明明是把探察外界误认为探讨自己。

王阳明的观点，在当时的社会环境里是可以理解的。因为儒家传统的看法认为天下有不变的真理，而真理是"圣人"从内心领悟的。圣人知道真理以后，就传给一般人。所以经书上的道理是可"推之于四海，传之于万世"的。经验告诉我们，这种观点是不适用于现在的世界的。

我是研究科学的人，所以重视实验精神在科学上的重要性。

科学发展的历史告诉我们，新的知识只能通过实地实验而得到，不是由自我检讨或哲理的清谈就可求到的。

实验的过程不是消极的观察，而是积极的探测。比如，我们要知道竹子的性质，就要特地栽种竹子，以研究它生长的过程，要把叶子切下来拿到显微镜下去观察，绝不是袖手旁观就可以得到知识的。

实验不是毫无选择地测量，它需要有细致具体的计划。特别重要的，是要有一个适当的目标，以作为整个探索过程的向导。至于这目标怎样选定，就要靠实验者的判断力和灵感。一个成功的实验需要的是眼光、勇气和毅力。

由此我们可以了解，为什么基本知识上的突破是不常有的事情。我们也可以了解，为什么历史上学术的进展只靠少数人关键性的发现。

时至今天，王阳明的思想还在继续支配着一些中国读书人的头脑。因为这个文化背景，中国学生大都偏向于理论而轻视实验，偏向于抽象的思维而不愿动手。中国学生往往念功课成绩很好，考试都得近一百分，但是在研究工作中需要拿主意时，就常常不知所措了。

从现代观念看，真正的"格物致知"是什么？

注意以上几段是怎样层层推进的。

在这方面，我有个人的经验为证。我是受传统教育长大的。到美国大学念物理的时候，起先以为只要很"用功"，什么都遵照老师的指导，就可以一帆风顺了，但是事实并不是这样。一开始做研究便马上发现不能光靠教师，需要自己做主张、出主意。当时因为事先没有准备，不知吃了多少苦。最使我彷徨恐慌的，是当时的唯一办法——以埋头读书应付一切，对于实际的需要毫无帮助。

我觉得真正的格物致知精神，不但研究学术不可缺少，而且对应付今天的世界环境也是不可少的。我们需要培养实验的精神，就是说，不论是研究自然科学，研究人文科学，还是在个人行动上，我们都要保留一个怀疑求真的态度，要靠实践来发现事物的真相。现在世界和社会的环境变化很快，世界上不同文化的交流也越来越密切。我们不能盲目地接受过去认定的真理，也不能等待"学术权威"的指示。我们要自己有判断力。在环境激变的今天，我们应该重新体会几千年前经书里说的格物致知的真正意义。这意义有两个方面：第一，寻求真理的唯一途径是对事物客观的探索；第二，探索应该有想象力、有计划，不能消极地袖手旁观。希望我们这一代对于格物和致知有新的认识和思考，使得实验精神真正变成中国文化的一部分。

这里举自己的经验为证，有什么好处？

从"学术研究"推而广之，扩大到"应付今天的世界环境"和"个人行动"。

点明意义，提出希望。

三 读读写写

瞭望	缅怀	探察	探讨	检讨	彷徨
激变	格物致知	袖手旁观	不知所措		

15　我一生中的重要抉择①

王　选

　　我在五年前脱离技术第一线，一年来逐渐脱离管理的第一线。我已经61岁了。微软的董事长比尔·盖茨曾经讲过："让一个60岁的老者来领导微软公司，这是一件不可设想的事情。"所以比尔·盖茨本人一定会在60岁之前退休。同样，让一个61岁的老者来领导方正②也是一件不可设想的事情。我是属于创造高峰过去的一个科学工作者。有一次在北京电视台的《荧屏连着我和你》这个节目里，我们几个人，被要求用一句话形容我们自己是什么样的人。李素丽③的一句话我记得，她说："我是一个善良的人。"非常贴切，她是一个善良的人，充满了爱心，全心为大家服务。我怎么形容自己呢？我觉得我是"努力奋斗，曾经取得过成绩，现在高峰已过，跟不上新技术发展的一个过时的科学家"。（掌声）所以我知道自己是一个下午四五点钟的太阳。各位呢，上午八九点钟的太阳，这是本科生；硕士生呢，九十点钟的太阳；博士生呢，十点十一点钟的太阳。（笑声）那么，一个快落山的太阳，跟大家讲的，更多的是自己一生奋斗过来的体会。所以我从我一生中觉得重要的抉择中，引发出一些话题跟大家来讨论。

　　…………

　　下面我就要谈到我第六个重要抉择，在1992年，开始花大的力量来扶植年轻人，让年轻一代出来逐步取代我的作用。在这方面，我们有很多的榜样，比如说，英国的卡文迪许实验室，出了25个诺贝尔奖获得者，它就有很好的扶植年轻人的传统。第一代主任是麦克斯韦，电磁波的发现者。第二代主任是

----

① 选自《在北大听讲座（第1辑）：思想的声音》（新世界出版社1999年版）。本文是作者1998年10月在北京大学的演讲。原题为《我一生中的八个重要抉择》，这里节选的主要是第六个抉择的部分。有改动。王选（1937—2006），江苏无锡人，生于上海，计算机文字信息处理专家，被誉为"当代毕昇"。2002年获国家最高科学技术奖。由他领导研制成功的"汉字激光照排系统"为我国新闻出版业

普及推广中文计算机排版做出了重大贡献。
② 〔方正〕指北京大学1986年创办的方正集团有限公司。王选是该公司的主要开创者和技术决策者。
③ 〔李素丽〕北京公交车售票员，后来担任公交"李素丽服务热线"负责人。曾获"全国五一劳动奖章""全国三八红旗手""全国劳动模范"等荣誉。

瑞利，获得诺贝尔奖，曾经做过英国皇家学会的主席。瑞利有一句名言，他讲："我到60岁以后，对任何新思想不发表意见。"因为60岁以后很多时候会对新思想起阻碍作用，而且我们有很多例子说明，权威有些时候会反对新思想。他致力于培养人，让28岁的汤姆孙（就是发现电子的人）做第三任卡文迪许实验室的主任。汤姆孙继承了他这个传统，培养了7个诺贝尔奖获得者。第四代出了卢瑟福，著名的原子物理的奠基人，他培养了12个诺贝尔奖获得者。到了第五代，卡文迪许实验室主任布莱克，做了一件大家当时痛骂他的事情，说他背叛了恩师卢瑟福，把如此有名的基本粒子的方向关掉。但20年以后，当初大骂布莱克的人认识到，即使卢瑟福还活在世界上，当时已经难以改变这么一个趋向了，再要搞基本粒子需要投入非常昂贵的大型加速器，英国根本没有这种财力，研究重心必然移到美国。布莱克看到了这种趋势，他赶紧抓住机会，鼓励年轻人开辟新天地，取得了杰出的成绩。所以实际上扶植年轻人是一种历史的规律。

我觉得世界上有些事情也非常可悲和可笑。当我26岁在最前沿，处于第一个创造高峰的时候，没有人承认。我38岁搞激光照排，提出一种崭新的技术途径，假如人家说我是权威，也许还马马虎虎，因为在这个领域我懂得最多，而且我也在第一线。但可悲的是，人们对小人物往往不重视。有一种马太效应：已经得到的，他一个劲儿地得到，多多益善；不能得到的，他永远得不到。这个马太效应现在体现在我的头上很厉害，就是什么事情都王选领导，其实我什么都没有领导起来，工作都不是我做的。有时候我觉得可笑，当年当我在第一线，在前沿的时候不被承认，反而有些表面上比我更权威的人要来干预，你该怎么做，实际上确实不如我懂得多。所以多数情况下，了解我的人还相信我，还能说服他，对我不太了解的人我很难说服他，我也懒得去说服他，就采取阳奉阴违的方法，一旦干到具休活儿，他根木不清楚里头怎么回事。我现在到了这个年龄，61岁，创造高峰已经过去，我55岁以后就没什么创造了，反而从1992年开始连续三年每年增加一个院士，这是很奇怪的。院士是什么，大家不要以为院士当前的就是权威，就是代表，这是误解，现在把我看成权威，这实在是好笑的，我已经五年脱离第一线，怎么可能是权威？世界上很难找到60岁以上的计算机权威，只有60岁以上犯错误的一大堆。（笑声，掌声）

我发现，在人们认为我是权威这个事情上，我真正是权威的时候，不被承认，反而说我在玩弄骗人的数学游戏；可是我已经脱离第一线，高峰过去了，不干什么事情，已经堕落到了靠卖狗皮膏药①为生的时候，（笑声，掌声）却说我是权威。当然一直到今年61岁我才卖狗皮膏药，讲讲过去的经历、体会，所以有人讲："前两天电视上又看到你了。"我说："一个人老在电视上露面，说明这个科技工作者的科技生涯基本上快结束了。"（笑声，长时间的掌声）在第一线努力做贡献的，哪有时间去电视台做采访？所以1992年前电视台采访我，我基本上都拒绝了。现在为了方正有些需要，事业需要，有时候就去卖狗皮膏药，做点招摇撞骗的事情。（笑声）但是我到61岁才这么干的，以前一直是奋斗过来，所以现在也是可以谅解的。年轻人如果老上电视台，老卖狗皮膏药，这个人我就觉得一点出息都没有。我觉得人们把我看成权威的错误在什么地方呢，是把时态给弄错了，明明是一个过去时态，大家误以为是现在时态，甚至于以为是能主导将来方向的一个将来时态。（笑声）院士者，就是他一生辛勤奋斗，做出了出色贡献，晚年给他一个肯定，这就是院士。（笑声，长时间的掌声）所以千万不要把院士都看成当前的学术权威，尤其是发展迅速的新技术领域更是如此，当然年轻院士是例外。可喜的是，年轻院士越来越多了。

在我刚过55岁的时候，我立刻提了一个建议，说："国家的重大项目，863计划②，学术带头人，要小于或等于55岁。"——把我排除在外。这个当然不见得能行，但我还是坚信这是对的。我们看世界上一些企业的创业者、发明家，没有一个超过45岁的。王安③创业时是30岁；英特尔的三个创业者，最年轻的31岁，另外两个人也不到40岁；苹果公司的开创者也只有22岁，他被美国前任总统里根称为美国人心目中的英雄，三年把苹果公司变成了世界500强；比尔·盖茨创微软的时候是19岁；雅虎创业者也是不到30岁。所以创业的都是年轻人，我们需要一种风险投资的基金来支持创业者，要看到这个趋势。

我扶植年轻人真心诚意。我们的中年教师，包括我们的博士生导师，都是靠自己奋斗过来的，都是苦出身，所以我们一贯倡导我们的年轻人做的成果，导师没有做什么工作，导师就不署名。当然外面宣传报道："在王选领导下……"我承认我剥削年轻人最多，但是由于大家都知道我并不是主观上要去

---

① 〔狗皮膏药〕药膏涂在小块狗皮上的一种膏药，疗效比一般膏药好。旧时走江湖的人常假造这种膏药来骗取钱财，因而用来比喻骗人的货色。这里是作者自谦、幽默的说法。

② 〔863计划〕即"国家高技术研究发展计划"。

因1986年3月由王大珩（héng）等四位科学家提议而得名。

③ 〔王安（1920—1990）〕美籍华裔科学家、企业家。

剥削年轻人，所以对我也比较谅解，（笑声）见报以后也不以为意，知道是怎么回事。扶植年轻人我觉得是一种历史的潮流，当然我们要创造条件，就是把他们推到需求刺激的风口浪尖上。在这方面我们要创造一切条件让年轻人能够出成果，特别要反对马太效应，尤其在中国，我觉得在中国论资排辈的势力还是有的，崇尚名人，什么都要挂一名人的头衔，鉴定会的时候挂一个院士，其实院士并不了解那个具体领域，我们打破这种风气是需要努力的。

名人和凡人差别在什么地方呢？名人用过的东西，就是文物了，凡人用过的就是废物；名人做一点错事，写起来叫名人逸事，凡人呢，就是犯傻；名人强词夺理，叫作雄辩，凡人就是狡辩了；名人跟人握握手，叫作平易近人，凡人就是巴结别人了；名人打扮得不修边幅，叫真有艺术家的气质，凡人呢，就是流里流气的；名人喝酒，叫豪饮，凡人就叫贪杯；名人老了，称呼变成王老，凡人就只能叫老王。（笑声、掌声不断）这样一讲呢，我似乎慢慢在变成一个名人了，在我贡献越来越少的时候，忽然名气大了。所以要保持一个良好的心态，认识到自己是一个非常普通的人，而且正处在犯错误的危险的年龄上。

…………

最后我送给大家一个公式，来结束我的这场"狗皮膏药"式的演讲，这是心理学家荣格的一个公式，我非常赞赏，就是"I plus We equals to Full I"（I + WE = Full I），大家很强调要体现自我价值，体现自我价值，需要把自己融在"We（我们）"这个大集体里面，最终完全体现自我价值。我非常赞赏这个公式，把这个公式奉献给大家——"I plus We equals to Full I"，谢谢。（长时间的掌声）

三 读读写写

扶择	扶植	阻碍	趋势	干预	堕落
膏药	狡辩	多多益善	阳奉阴违		
招摇撞骗	风口浪尖	强词夺理			
平易近人	不修边幅				

16　庆祝奥林匹克运动
复兴25周年①

顾拜旦

联邦②主席、女士们、先生们：

　　5年前，在巴黎，在1894年我宣布恢复奥林匹克运动会的地方，世界各国的代表们共聚一堂，同我们一起庆祝奥林匹克运动复兴20周年。5年过去了，在这期间，整个世界分崩离析③。所幸，奥林匹克主义并没有成为这场浩劫的牺牲品，而是无所畏惧、无可指摘地挺了过来。而今，它的眼前突然呈现出更为开阔的视野，这凸显了它即将扮演的崭新角色的意义。

　　奥林匹克精神开始为渐趋平和而又充满自信的青少年所推崇。古文明的魅力，时有衰退，平和与自信正日益成为其有力的支撑。同时，它们也是那些即将在暴风骤雨中诞生的新生文明必不可少的支柱。然而，人类并非生而就平和自信。还在襁褓④中的婴儿，就已开始担惊受怕。恐惧伴随着他成长的各个阶段，并在他行将就木⑤时，给他致命一击使其崩溃。恐惧是人类工作和休息的天敌，面对它，人类学会用勇气来针锋相对。有些人认为，勇气这一高贵美德只有在我们的祖先身上才能看到，他们因此非常尊重先人。在他们的想象中，勇气之花在我们当代人的手中早已残败凋零了。但是如今，我们知道该在将来采取何种态度了。

　　勇气是战争中的美德，它能够在时势中造就英雄。正如我最近在一篇关于教育学的文章中所暗示的那样，根除恐惧真正的、能持久发挥效用的良药，更多的是自信而非勇气。自信与它的姊妹平和总是携手并进，相辅相成。这样，我们又回到了适才我提到的奥林匹克主义的实质上来，这也正是奥林匹克主义区

---

① 选自《奥林匹克主义——顾拜旦文选》（人民体育出版社2008年版）。刘汉全、邹丽等译。有改动。顾拜旦（1863—1937），法国教育家、社会活动家，现代奥林匹克运动创始人。本文是他在1919年4月瑞士洛桑国际奥委会全体委员大会上发表的演讲。
② 〔联邦〕指瑞士。瑞士是联邦制国家，全称

"瑞士联邦"。
③ 〔在这期间，整个世界分崩离析〕指第一次世界大战（1914—1918）导致世界政治格局剧变。
④ 〔襁褓（qiǎngbǎo）〕包裹婴儿的被子和带子。
⑤ 〔行将就木〕快要进棺材了。指人临近死亡。木，指棺材。

别于一般体育运动的地方，奥林匹克主义包括但又远远超越了一般的体育运动。

请允许我详细阐述一下二者的区别。运动员非常享受努力拼搏的乐趣。他喜欢施加于肌肉和神经上的那种压力感，因为压力往往给人一种胜利在望的感觉，即便有时到最后他未能获胜。这种享受，深入运动员的内心，某种程度上甚至可以说只涉及自身。请想象一下，当这种愉悦向外喷涌，并与对大自然的热爱之情和对艺术的奔放激情融为一体；当它为灿烂阳光所萦绕，为音乐所振奋，或被嵌入圆柱式大厅时，会是怎样的情景。许久以前，就是在这般情景下，古代奥林匹克主义的绚丽梦想在阿尔弗斯河的两岸诞生了。奥林匹克主义曾在许多个世纪里，一直主导着古希腊社会。

然后，我们来到了历史的转折关头。渴求进步但又常常因夸大某种正确思想而误入歧途的人类精神，开始致力于将青少年从平衡状态中挣脱出来。于是，青少年开始为呆板而复杂的教育枷锁所套牢，被在愚蠢的放纵和不明智的严厉交互作用下的道德说教以及拙劣肤浅的世界观所束缚。这就是为何我们要重启奥林匹克时代，并为体格训练的复兴隆重庆祝。我们不断推动盎格鲁－撒克逊人①的运动功利思想向古希腊遗留下来的一呼百应的体育观靠拢，两者逐渐融合为一体。当我在纽约和伦敦对举办奥运会的可能性做出评估之后，我向不朽的古希腊精神祈祷，希望它给这意外中诞生的结合体一剂理想主义的良药。先生们，这25年来我们成功兴建的事业大厦，便是这副模样。诸位适才不断向其表达敬意，若这敬意是针对我这建筑师而来的话，那我着实愧不敢当。它的建筑师不应受到如此赞美，他不过是听从了一种比个人意志更为强大的内心直觉的召唤。他愿意愉快地接受诸位对奥林匹克精神的赞美之词，而他个人，不过是这一理想的第一个仆从。

之前我曾提及1914年6月所举办的周年庆典。当时我们认为，我们庆祝的是奥林匹克主义的完美实现。然而今天，我的印象反而是我正目睹它再次含苞欲放。一项运动，倘若只有有限一部分人被包含在内，在当今时代又怎能称得上完美呢？在当时，有这么多人可能确实是足够的，但今天则不然。它必须要面向大众。的确如此，有什么名义能将大众排除在奥林匹克精神之外呢？有什么样的贵族特权能令一个青年人身上的形体美、肌肉力量、锻炼的毅力以及获胜的意志非得同他的家谱或钱包挂钩呢？上述种种毫无法律依据的矛盾，存活

①〔盎（àng）格鲁－撒克逊人〕公元5世纪时，迁居英国大不列颠岛的以盎格鲁和撒克逊部落为主的日耳曼人。

在萌生它们的这个社会秩序里。在野蛮的军国主义协助下的极权姿态，给了它们致命一击。从道义上讲，这反而是可以自圆其说的。

面对一个需要用基本原则来整顿的全新世界，某些过去一直被视为乌托邦①的原则，如今却变得切实可行。人类必须吸收古文明遗留下来的全部精华，用以构筑未来，其中就包括奥林匹克精神。当然，仅靠奥林匹克精神，并不足以保障社会层面的和平以及更公平、公正地分配人类生产劳动，分配满足物质生活需要的消费必需品，甚至不足以向青少年提供与他们的能力相当而与其家庭出身无关的才智培训机会。但是，奥林匹克精神致力于让社会底层的人们接触到现代工业所塑造的各种锻炼形式，享受到强身健体的乐趣。这就是完美的、民主的奥林匹克精神，今天我们要为它奠定基础。

本次庆典是在欢乐祥和的气氛下举行的。古老的赫尔维蒂②联邦最高委员会及其尊敬的主席，深得人类挚爱的瓦莱州③派出的首席代表，这座美丽而又好客的城市的领导们，远近闻名的歌手，以及历经千挑万选、朝气蓬勃的体操团队，齐聚于此地，为这次盛会赋予了历史自觉性、公民精神、自然性、青春、艺术性等五重声誉。

愿钟爱勇敢者的幸运之神，厚待刚刚决定申办第7届现代奥林匹克运动会的比利时人民的美好愿望。

目前的形势，依然严峻。狂风骤雨之后，我们迎来破晓的黎明。待到中午时分，湛蓝的天空必将万里无云；收获者的双臂，捧满沉甸甸的金黄麦穗。

三 读读写写

浩	劫		指	摘		襁	褓		蒙	昧	
拙	劣		肤	浅		目	睹		奠	定	
分	崩	离	析		暴	风	骤	雨		担	惊	受	怕
行	将	就	木		相	辅	相	成		自	圆	其	说

绚 丽　枷 锁
挚 爱　钟 爱

---

① 〔乌托邦〕原为英国空想社会主义者托马斯·莫尔所著书名的简称。作者在书中描写了他所想象的实行公有制的理想社会，并把这种社会叫作"乌托邦"，意即"没有的地方"。后来泛指不能实现的愿望、计划等。

② 〔赫尔维蒂〕瑞士的旧称。

③ 〔瓦莱州〕瑞士西南部的一个州，位于阿尔卑斯山中心地带，风景优美，是著名的度假胜地。

撰写演讲稿，除了可以借鉴一般的写作手法，还要体现出演讲的特征。我们在"任务一"中通过学习演讲词，已经对演讲的特征有了基本的了解。下面提示一些具体的技巧，以帮助大家更好地撰写演讲稿。

◎　要有针对性，做到"心中有听众"。要充分考虑听众的年龄、身份、文化程度、心理需求等，以此来确定演讲的主题、内容和语言风格，这样才能做到有的放矢。

◎　注意写好开头，吸引听众的关注。演讲开头的方式有很多种，可以从问候或感谢语开始，拉近与听众的距离；可以由演讲的缘起、现场的氛围等引入正题；可以开门见山，直奔主题；还可以提出问题，引发思考。本单元所选的几篇演讲词开头各有特点，但都能快速"抓住"听众，值得在写作中效仿。

◎　明确表达观点，把思路展现出来。听现场演讲与读文章的不同在于，听众无法像读者那样反复阅读，慢慢思考。因此，写演讲稿时要注意提高自己观点和思路的"辨识度"，除了观点要明确外，尤其要注意用提示性词语、关联词语和过渡性语句来提示自己的思路，将其更直接、更清晰地呈现出来，不要过多地让听众去揣摩、分析。

◎　精心设计结语，提升演讲的效果。在演讲稿的最后，可以重申观点，加深印象；也可以提出号召，鼓舞人心；还可以幽默调侃，逗大家一笑。好的结语能有效调动听众的情绪，或将他们的思考引向深入。

◎　着力锤炼语言，增强演讲的感染力。演讲稿的语言可以有不同的风格，或庄重严肃，或轻松活泼，但总体来说应该尽可能体现口语化、大众化的特点，尽量避免使用听众不熟悉的文言、方言或生僻词语；多用短句，少用结构复杂的长句。

此外，还可以通过词语的精心选用和比喻、拟人、排比、对偶、设问、反问等修辞手法的巧妙运用来增强语言的表达效果；有意识地锤炼"金句"，给听众以深刻的印象。

现在，请拿起笔来，自己尝试着撰写一篇演讲稿吧。下面的话题可供参考。不少于600字。

◎ 我的梦想

◎ 让爱永驻心中

◎ 书香，伴我成长

◎ 假设学校组织竞聘学生会主席、团支部书记、校刊主编、校广播站总监、志愿者服务团团长等，你准备竞聘其中某个职务。试撰写一篇演讲稿，阐述你的竞聘主张。

任务三　举办演讲比赛

在"任务二"撰写演讲稿的基础上，举办一次班级演讲比赛。

1. 赛前准备。

（1）个人准备。课外搜集演讲视频、音频资料，了解演讲的基本技巧，并用"任务二"中撰写的演讲稿自己演练。

◎ 可以搜集历史名人演讲的视频或音频资料，也可以关注网络或电视上热门的演说类节目。

◎ 重点关注演讲技巧，如语气、语调、重音、节奏的调配，表情的处理，体态语的运用等。

◎ 自己演练时注意借鉴他人的演讲技巧，并熟记演讲词，争取脱稿。

（2）举办小组选拔赛。选择同一题目撰写演讲稿的同学自由组成小组，先在小组内进行选拔比赛，每组选出一到两名同学参加班级演讲比赛。

> ◎ 小组选拔时，一方面要重视演讲的内容，另一方面要考虑演讲技巧的运用（如声音、语气、表情、动作等），通过综合评价，推举优秀代表。
>
> ◎ 被推举出来的同学，正式比赛前要反复演练。不妨在小组内再演讲一次，听取其他同学的意见，改进提高。

（3）推选主持人，撰写串场词，安排演讲顺序。

（4）推选评委，设置必要的奖项，制订评选细则。

2. 现场比赛。

（1）选手要注意临场表现和发挥。

> ◎ 面带微笑，放松心情。如果感到紧张，可以做一下深呼吸，环视全场，调整好自己的状态。
>
> ◎ 声音清晰、悦耳，音量适中，根据演讲的需要适当调整语速、语气。
>
> ◎ 站姿自然、沉稳，同时辅以合适的手势动作。
>
> ◎ 直面听众，适时用眼神与听众交流，观察他们的反应，检验演讲的效果，调整自己的演讲内容、语气和体态。
>
> ◎ 保持饱满的情绪，一气呵成地完成演讲。
>
> ◎ 如果在演讲中出现一些突发情况，比如忘词了或者讲错了，要通过放慢语速努力回忆、结合现场情况略做调整、临时应变自圆其说等方式，努力使演讲顺利进行下去。

（2）评委根据评选细则，评出相应奖项，公布获奖名单，也可以给予适当奖励。

（3）获奖同学发表感言，其他同学可以在"微博墙"上留言。评委做精要点评或活动总结。

第五单元

古人说，读万卷书，行万里路。旅游其实也是一种"阅读"，是认识世界的另一种方式。本单元所选的课文都是游记，通过记述游览见闻，描摹山水风光，吟咏人文胜迹，抒发作者的情思。阅读这类文章，随着作品去想象和遨游世界，可以让我们丰富见闻，增长知识，开阔眼界。

学习本单元，要了解游记的特点，把握作者的游踪、写景的角度和方法，并揣摩和品味语言，欣赏、积累精彩语句。

17　壶口瀑布①

梁　衡

预习

◎　壶口瀑布位于黄河中游秦晋大峡谷，河床至此非常狭窄，形如"壶口"，河水急跌而下，汹涌奔腾，声震天地。本文描绘的就是这一胜景。初读课文，感受壶口瀑布的磅礴气势。

◎　细读课文，注意体会作者遣词造句的特点，欣赏精妙的语句。

壶口在晋陕两省的边境上，我曾两次到过那里。

第一次是雨季，临出发时有人告诫："这个时节看壶口最危险，千万不要到河滩里去，赶巧上游下雨，一个洪峰下来，根本来不及上岸。"果然，车还在半山腰就听见涛声隐隐如雷，河谷里雾气弥漫，我们大着胆子下到滩里，那河就像一锅正沸着的水。壶口瀑布不是从高处落下，让人们仰观垂空的水幕，而是由平地向更低的沟里跌去，人们只能俯视被急急吸去的水流。其时，正是雨季，那沟已被灌得浪沫横溢，但上面的水还是一股劲地冲进去，冲进去……我在雾中想寻找想象中的飞瀑，但水浸沟岸，雾罩乱石，除了扑面而来的水汽，震耳欲聋的涛声，什么也看不见，什么也听不见，只有一个可怕的警觉：仿佛突然就要出现一个洪峰将我们吞没。于是，只急慌慌地扫了几眼，我便匆匆逃离，到了岸上回望那团白烟，心还在不住地跳……

第二次我专选了个枯水季节。春寒刚过，山还未青，谷底显得异常开阔。我们从从容容地下到沟底，这时的黄河像是一张极大的石床，上面铺了一层软软的细沙，踏上去坚实而又松软。我一直走到河心，原来河心还有一条河，是突然凹下去的一条深沟，当地人叫"龙槽"，槽头入水处深不可测，这便是

① 选自《梁衡文集》卷一（人民教育出版社2002年版）。有改动。

"壶口"。我依在一块大石头上向上游看去，这龙槽顶着宽宽的河面，正好形成一个"丁"字。河水从五百米宽的河道上排排涌来，其势如千军万马，互相挤着、撞着，推推搡搡，前呼后拥，撞向石壁，排排黄浪霎时碎成堆堆白雪。山是青冷的灰，天是寂寂的蓝，宇宙间仿佛只有这水的存在。当河水正这般畅畅快快地驰骋着时，突然脚下出现一条四十多米宽的深沟，它们还来不及想一下，便一齐跌了进去，更闹，更挤，更急。沟底飞转着一个个漩涡，当地人说，曾有一头黑猪掉进去，再漂上来时，浑身的毛竟被拔得一根不剩。我听了不觉打了一个寒噤[1]。

《壶口瀑布》 都本基作

黄河在这里由宽而窄，由高到低，只见那平坦如席的大水像是被一个无形的大洞吸着，顿然拢成一束，向龙槽里隆隆冲去，先跌在石上，翻个身再跌下去，三跌，四跌，一川大水硬是这样被跌得粉碎，碎成点，碎成雾。从沟底升起一道彩虹，横跨龙槽，穿过雾霭，消失在远山青色的背景中。当然这么窄的壶口一时容不下这么多的水，于是洪流便向两边涌去，沿着龙槽的边沿轰然而下，平平的，大大的，浑厚庄重如一卷飞毯从空抖落。不，简直如一卷钢板出轧[2]，的确有那种凝重，那种猛烈。尽管这样，壶口还是不能尽收这一川黄浪，于是又有一些各自夺路而走的，乘隙而进的，折返迂回的，它们在龙槽两边的滩壁上散开来，或钻石觅缝，汩汩[3]如泉；或淌过石板，潺潺成溪；或被夹在石间，哀哀打旋[4]。还有那顺壁挂下的，亮晶晶的如丝如缕……而这一切都隐在湿漉漉的水雾中，罩在七色彩虹中，像一曲交响乐，一幅写意画。我突

---

① 〔寒噤（jìn）〕寒战。
② 〔出轧（zhá）〕（钢板）从轧钢机里出来。
③ 〔汩（gǔ）汩〕形容水流动的声音。
④ 〔打旋〕这里指水回旋流动。

然陷入沉思，眼前这个小小的壶口，怎么一下子集纳了海、河、瀑、泉、雾所有水的形态，兼容了喜、怒、哀、怨、愁——人的各种感情。造物者难道是要在这壶口中浓缩一个世界吗？

看罢水，我再细观脚下的石。这些如钢似铁的顽物竟被水凿得窟窟窍窍，如蜂窝杂陈，更有一些地方被旋出一个个光溜溜的大坑，而整个龙槽就是这样被水齐齐地切下去，切出一道深沟。人常以柔情比水，但至柔至和的水一旦被压迫竟会这样怒不可遏①。原来这柔和之中只有宽厚绝无软弱，当她忍耐到一定程度时就会以力相较，奋力抗争。据《元和郡县图志》②中所载，当年壶口的位置还在这下游一千五百米处。你看，日夜不止，这柔和的水硬将铁硬的石寸寸地剁去。

黄河博大宽厚，柔中有刚；挟而不服，压而不弯；不平则呼，遇强则抗；死地必生，勇往直前。正像一个人，经了许多磨难便有了自己的个性；黄河被两岸的山、地下的石逼得忽上忽下、忽左忽右时，也就铸成了自己伟大的性格。这伟大只在冲过壶口的一刹那才闪现出来被我们看见。

1986年6月

? 思考探究

一　阅读课文，说说课文分别写了壶口瀑布在雨季和枯水季节的哪些特点。作者写了壶口瀑布的水之后，为什么又写"脚下的石"？

二　作者在枯水期来到壶口瀑布，采用了独到的观察角度，写出了独特的景物特征。试结合课文做具体分析。

三　作者一边记述所见景象，一边表达自己的感受。找出作者表达感受的文字，说说你的理解。

C 积累拓展

四　反复阅读课文第3、4段，品味其语言的妙处，并试着写一段赏析文字。

---

①〔怒不可遏（è）〕愤怒得不能抑制，形容愤怒到了极点。这里形容水势不可阻挡的样子。

②〔《元和郡县图志》〕唐代李吉甫编撰的一部地理总志，成书于唐宪宗元和八年（813）。

五　游记这一体裁，涉及内容广泛，写法自由，风格多样，读来既能增广见闻，也能带来美的享受，引发心灵的共鸣。课外阅读郁达夫《西溪的晴雨》、徐迟《黄山记》、王充闾《读三峡》等，体会它们在选材、构思、语言等方面的特点。

读读写写

铸		告	诫		推	搡		霎	时		驰	骋		漩	涡
寒	噤		迂	回		汩	汩		湿	漉	漉		震	耳	欲	聋
前	呼	后	拥		怒	不	可	遏								

句子成分搭配要恰当

句子成分之间的关系，实质上是语义的搭配关系。语义的搭配既要合乎事理，又要符合语言习惯，才能正确地表达思想。

句子成分的搭配，包括主干的搭配、修饰语和中心语的搭配等。检查句子成分搭配是否恰当，也可以采用"提取主干"的方法。

主干搭配不当，通常有主语和谓语搭配不当、动词和宾语搭配不当、主语和宾语搭配不当等几种情况。例如：

（1）全场的目光和掌声都集中到竖立在主席台前的旗杆上。

（2）今年麦子的收成是几年来麦子收成最好的一年。

句（1）的主干是"目光和掌声集中到旗杆上"，而"掌声"是不能"集中到旗杆上"的，这属于主语和谓语搭配不当；句（2）的主干是"收成是一年"，句意不通，这属于主语和宾语搭配不当。

定语、状语、补语等修饰成分与中心语的搭配也会出现不恰当的情况。例如：

南极洲恐龙化石的发现，强烈地证明地壳在进行缓慢但又不可抗拒的运动。

状语"强烈"与中心语"证明"搭配不当，可改为"有力"。

18 在长江源头各拉丹冬①

马丽华

预习

◎ 查找资料，了解各拉丹冬的地理位置和气候特点。想一想，这里为什么会成为长江的源头？

◎ 朗读课文，感受雪域高原的壮美景色，体会作者细腻而丰富的情感。

1987年3月上旬，我随电影摄制组走向各拉丹冬，就近安营扎寨。寒冷季节里汽车可以驶过冰河，直接进到山脚冰塔林中。熟悉地貌的向导布擦达讲，各拉丹冬有阴阳二坡，西北阴坡尽是冰雪，景色单调，东南阳坡才好看。的确，阳光使这位身披白色披风的巨人变化多端：融雪处裸露出大山黧黑②的骨骼，有如刀削一般，棱角与层次毕现，富有雕塑感。近些年来，骤然掀起一股长江考察热，一拨又一拨中外勇士在此迈开了认识长江的第一步。短短几年里，先后有十多位探险者壮烈献身于这项人类事业。

季节上的隆冬将尽，但严寒还将在此驻防三两个月。远不是秋高气爽时节的明媚，这一个风云变幻的季节里，气势磅礴的密云来去匆匆，形如金字塔的各拉丹冬主峰难得在云遮雾障中一现尊容。

在各拉丹冬以东几公里处有牛粪可捡的草坝子③上，我们搭起牛毛帐篷。安托师傅他们从崖底冰河里背回大冰块，我们喝上了长江源头的水。海拔接近六千米，力大如牛的安托师傅做起活儿来也不免气喘吁吁。他说自己是海拔低些的聂荣县人，所以不很适应。我就更不在话下了。此刻倒霉迹象接踵而至④，

---

① 选自《藏北游历》（中国藏学出版社2007年版）。有删改。各拉丹冬，唐古拉山脉最高的一组雪山群，主峰海拔6 621米。

② 〔黧（lí）黑〕形容黑。

③ 〔草坝子〕平坦的草地。

④ 〔接踵而至〕形容人或事物一个又一个接连不断地到来。

频频小震酝酿着某一两次大地震：手背生起冻疮，肩背脖颈疼痛得不敢活动，连夜高烧，不思饮食……活动时只能以极轻极慢的动作进行，犹如霹雳舞的"太空步"。

这样的身体状况真是大煞风景。但愿它不要影响我的心态，各拉丹冬值得你历尽艰辛去走上一遭。我们把车停在冰河上，踏进这块鲜有人迹的冰雪世界，在坚冰丛莽间的一个砾石①堆上竖起三脚架。我双手合十，面向各拉丹冬威严的雪峰行了跪拜大礼，虔诚而愚蠢——各拉丹冬是男性神，据说这方圣地并不欢迎女人，不久它便让我领教了一番。它还不喜欢人们过于恭顺，在等待云散天晴的日子里，面对大家的恳求它不为所动；等到导演用粗话诅咒的那一天，它可就在蔚蓝的天幕下十分情愿地露了面。

这里便是著名的长江奇观之一的冰塔林。从砾石堆上四面张望，晶莹连绵的冰峰、平坦辽阔的冰河历历在目。杰巴、安托、开大车的大胡子师傅，头戴狐皮帽，身裹羊皮袍，肩扛比人身还长的大冰凌，蠕动在巨大的冰谷里，一列小小身影。远方白色金字塔的各拉丹冬统领着冰雪劲旅，天地间浩浩苍苍。这一派奇美令人眩晕，造物主在这里尽情卖弄着它的无所不能的创造力。

慢慢从砾石堆上走下来，慢慢沿冰河接近冰山。这一壁冰山像屏风，精雕细刻着各种图案。图案形态随意性很强，难说像什么。从狭小的冰洞里爬过去，豁然又一番天地。整座冰塔林就由许多冰的庄园冰的院落组成，自成一天地。我用新近装备的柯尼卡拍彩照，使用标准镜头受限，没同时配起变焦镜头使我后悔了一辈子——拍一座完整的冰山，要退出很远。正是在后退的当儿，脚下一滑，分外利落地一屁股坐在冰河上，裂骨之痛随之袭来。这一跤，使我在后来的旅行中备受折磨。回那曲②拍了片才知道，娇贵而无用的尾椎骨已经折断，连带腰椎也错了位。

往下的情景多少有些凄凉。此地海拔已超过六千米。头痛，恶心，双脚绵软，呼吸困难——典型的缺氧反应，外加新伤剧痛。索性哪儿都不去了，一个人蜷卧在最近的这座冰山脚下。眼看着兴致极高的伙伴们，大口喘着气，扛着摄影器材，翻过一面冰墙，不见了。

说不见又出现了一个，老远喊我："都到这地方了，不到处转一转，多亏呀！"他从冰墙那边翻过来，到小车里取盛放胶片的箱子。为节省体力，就在

①〔砾石〕经水流冲击磨去棱角的石块。
②〔那曲〕即那曲县，在西藏自治区中部偏北，
　唐古拉山和念青唐古拉山之间。

冰面上推。

"我要死了。"我少气无力地说，声音空空荡荡，随即散失在冰原上。

置身于冰窟，远比想象的要温暖，穿着件腈纶①棉衣，外罩一件皮夹克，居然感觉不到冷。风一刻不停地呼啸，辨不清它何来何往，仿佛自地球形成以来它就在这里川流不息，把冰河上的雪粒纷纷扬扬地扫荡着，又纷纷扬扬地洒落在河滩上、冰缝里。渐渐地冰河已光滑难行。从北京来的摄影师大吴，负责拍一本有关藏北的大型画册，具有国际先进水平的照相器材就装在一个很考究的箱子里，唯恐摔坏了，便推着箱子在冰面上爬行。他用奇怪的"鱼眼②"为我拍了一张反转片，一部分精神和生命就寄存在这变了形的仙境中了。

是琼瑶仙境，静穆的晶莹和洁白。永恒的阳光和风的刻刀，千万年来漫不经心地切割着，雕凿着，缓慢而从不懈怠。冰体一点一点地改变了形态，变成自然力所能刻画成的最漂亮的这番模样：挺拔的，敦实的，奇形怪状的，蜿蜒而立的。那些冰塔、冰柱、冰洞、冰廊、冰壁上徐徐垂挂冰的流苏，像长发披肩。小小的我便蜷卧在这巨人之发下。太阳偶一露面，这冰世界便熠熠烁烁，光彩夺目。端详着冰山上纵横的裂纹，环绕冰山的波状皱褶，想象着在漫长的时光里，冰川的前进和后退，冰山的高低消长，这波纹是否就是年轮。

第二天，仍随大部队进入冰塔林。在滑极了的冰河上一点点挪动，时而也需爬行——人们越发有经验了，在有坡度的地方，就翻身滚将起来——终于过了冰河，我便半卧在砾石滩上仔细寻找起来，看有没有贝壳、植物之类化石，或者古人类生活过的痕迹，可是很遗憾，没有。而我似乎已经衰竭，心想碰巧哪一口气上不来，就长眠于此吧。

见我再也没力气返回了，杰巴他们开着车过来，接我过这一段冰河。

拍电影的那一伙不知又发现了什么新大陆，久久不回来。不甘心在车里闷坐，又挣扎着去那座冰河中间的砾石堆。过午的太阳强烈，冰面疏松多了，有流水漫溢出来。此刻除了风声，还有一种声音轻易便可辨别出来。那是坚冰之下的流水之声，它一刻不停，从这千山之巅、万水之源的藏北高原流出，开始演绎长江的故事。

不见自然生物痕迹，但今天的确有人活在各拉丹冬的近旁。

---

① 〔腈（jīng）纶〕合成纤维的一种，用来纺织成毛线、布料等。

② 〔鱼眼〕指鱼眼镜头。镜头前端突出，像鱼的眼睛，故称。视角极宽广，拍摄的画面弯曲变形，有夸张的透视感。

? 思考探究

一　本文记述了作者跟随摄制组在各拉丹冬游览的经历。理清文章的脉络，复述作者在各拉丹冬的所见所感。

二　作者是怎样描写各拉丹冬的冰塔林的？试结合课文内容具体分析。

三　作者多次写到自己在高原上的疼痛、恶心，甚至觉得"要死了"，这些内容与文中的写景有什么关系？产生了怎样的表达效果？

↻ 积累拓展

四　联系上下文，品味下列句子，思考并回答括号里的问题。想一想，这些句子在表达方面有什么共同的特点？

1. 这一派奇美令人眩晕，造物主在这里尽情卖弄着它的无所不能的创造力。

（这里的"眩晕"和"卖弄"是什么意思？传达了作者怎样的感受？）

2. 风一刻不停地呼啸，辨不清它何来何往，仿佛自地球形成以来它就在这里川流不息，把冰河上的雪粒纷纷扬扬地扫荡着，又纷纷扬扬地洒落在河滩上、冰缝里。

（删去加点的部分，全句的表达效果会有怎样的变化？）

3. 端详着冰山上纵横的裂纹，环绕冰山的波状皱褶，想象着在漫长的时光里，冰川的前进和后退，冰山的高低消长，这波纹是否就是年轮。

（作者是怎样描写冰山的裂纹和皱褶的？这样写有什么好处？）

五　观看纪录片《话说长江》《再说长江》，从多个角度了解长江壮丽的自然景象和多彩的人文景观。

☰ 读读写写

棱角	骤然	虔诚	恭顺	蠕动	凄凉					
懈怠	敦实	蜿蜒	消长	衰竭	漫溢					
演绎	安营扎寨	风云变幻	接踵而至							
历历在目	川流不息	漫不经心								

19 登勃朗峰①

马克·吐温

前往勃朗峰的途中，我们先坐火车去了马蒂尼②，翌日③早晨八点多，便徒步出发。路上有很多人结伴而行，乘坐马车的，骑骡的——因而扬起阵阵尘埃。队伍分散开去，络绎不绝，前后长达一英里左右。路为上坡———一路都为上坡——且相当陡峭。天气灼热难当，乘坐在缓慢爬行的骡子背上和辚辚④前进的马车里的男男女女，焦炙于火辣辣的艳阳之下，真是可怜可悯。我们可在树林中避暑纳凉，稍作歇息，可那些人不行。既然花了钱坐车，就一定要使他们的旅行物有所值。

为什么作者认为骑骡乘车的游客"可怜可悯"？

我们取道黑首⑤，抵达高地，沿途不乏秀色美景。有一处需经隧道，穿山而过；俯瞰脚下峡谷，只见其间一股清流急湍，环顾四周，岩壁巉峻⑥，丘岗葱绿，美不胜收。整个黑首道上，到处瀑布倾泻，轰鸣作响。

山为什么会随"我们"拾级而上而"愈升愈高"？你有过类似的体验吗？

抵达阿冉提村前约莫半小时，在一道呈 V 字形的山口中间，一座巨大的白雪穹顶骤然映入眼帘，日照其上，光艳耀目。原来我们已目睹了被称为"阿尔卑斯之王"的勃朗峰。我们拾级⑦而上，威严的穹顶也随之愈升愈高，耸入蓝天，最后仿佛独踞苍穹。

---

① 选自《远处的青山》（新世界出版社 2011 年版）。林文华译。有改动。勃朗峰，欧洲阿尔卑斯山的主峰，山势陡峻，为欧洲名胜之一。马克·吐温（1835—1910），美国作家。代表作有小说《汤姆·索亚历险记》《哈克贝利·费恩历险记》等。

② 〔马蒂尼〕瑞士西部瓦莱州的一个城市。
③ 〔翌（yì）日〕次日。
④ 〔辚（lín）辚〕形容车行走时的声音。
⑤ 〔黑首〕瑞士的一个村。
⑥ 〔巉（chán）峻〕险峻陡峭。
⑦ 〔拾（shè）级〕逐步登阶。拾，轻步而上。

勃朗峰周围的一些山峰奇形怪状——都为浅棕色的光秃尖岩。有些顶端尖峭，并微微倾向一旁，宛如美女的纤指；有一怪峰，形如塔糖①。因巉岩太过陡峭，皑皑白雪无法堆积，只能在分野处偶见几堆。

在逗留高地、向山下的阿冉提村进发之前，我们曾仰面遥望附近的一座峰巅，但见色彩斑斓，彩霞满天，白云缭绕，轻歌曼舞，那朵朵白云精美柔细，宛如游丝蛛网一般。五光十色中的粉红嫩绿，尤为妩媚动人，所有色彩轻淡柔和，交相辉映，妖媚迷人。我们干脆就地而坐，饱览独特美景。这一彩幻只是稍作驻留，顷刻间便飘忽不定，相互交融，暗淡隐去，可又骤然反光灼灼，瞬息万变，真是无穷变幻，纷至沓来；洁白轻薄的云朵，微光闪烁，仿佛身披霓裳羽衣②的纯洁天使。

> 仰面遥望，满目华彩，变幻无穷。

良久，我们终于感悟到，眼前的绚丽色彩以及它们的无穷变幻便是我们从飘浮的肥皂泡中看到的一切，泡泡所到之处，种种色彩变幻，尽被摄入其中。自然界中最美丽最精致的造物，莫过于肥皂泡泡了：刚才空中的华丽色彩，天衣云锦，恰如那在阳光下破裂并蔓延开去的肥皂泡。我想，假如世上只有一个肥皂泡，其价值会是多少呢？

> 这里联想到肥皂泡，抒发了怎样的感慨？

从马蒂尼到阿冉提，历时八个小时。有好几次，我们把所有的车骑甩在身后。沿河谷前往沙蒙尼③途中，我们雇了一辆敞篷马车，又花上一小时美餐了一顿，那车夫也得以有了纵饮的机会，略显醉意。他有一朋友同行，于是这友人也有暇畅饮一番。

上路后，车夫说我们用饭之际，所有的游客

---

① 〔塔糖〕一种圆锥形糖块。
② 〔霓裳羽衣〕指仙人的衣服。

③ 〔沙蒙尼〕法国东部边界小镇，位于勃朗峰北。

都已赶到，甚至还抢在了我们前面。"但是，"他把握十足地说，"不必为此烦恼——静下心来——不要浮躁——他们虽已扬尘远去，可不久就会消失在我们身后的。你就放下心坐好吧，一切包在我身上——我是车夫之王啊。你看着吧！"

他扬鞭一挥，车便辚辚向前。如此颠簸，我生平从未有过。近来的几场暴雨冲毁了几处路面，但我们不停不歇，一如既往地保持着速度，疾驰向前，什么乱石废物，沟壑旷野，一概不顾——有时一两个轮子着地，但大多数时候腾空而起。那位镇定而善良的狂车夫还时不时地掉转头来，神情威严地冲我们说道："哈，看到了吗？如我所说吧——我可是名副其实的车夫之王啊。"每当我们险遭不测时，他总是面不改色，和颜悦色地说："只当是种乐趣吧，先生们，这种情况不常见，很不寻常——能坐上车王的车的人，可是少之又少啊——看到了吧，正如我说的，我就是车王。"

他说的是法语，还不时地打嗝，像是在加标点符号。他朋友也是法国人，说的却是德语——但标点系统毫无两样。那朋友自称"勃朗队长"，要求我们和他一同登山。他说他爬山的次数比谁都多——47次——而他兄弟只有37次。除他外，他兄弟是世上最佳的向导——可他自己，对了，请别忘了——他是"勃朗队长"——这个尊号是非他莫属的。

那车王果然信守诺言——像疾风般赶上并超过了那长长的游客车队。结果，到达沙蒙尼旅馆后，我们住进了上等的房间。如果这位王爷的车技略欠敏捷——或者说，不是老天有意安排，让他在离开阿冉提时喝得酒气醺醺——结果就不会是这样的了。

旅途中不只有风景，奇人奇事亦可乐也。

虽有颠簸之苦，不测之险，也有意外之喜。

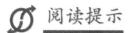

阅读提示

　　勃朗峰，法语意为"白色的山峰"，是阿尔卑斯山的最高峰。作者在文中记述了与友人游览勃朗峰的经历，或浓墨重彩，或简笔勾勒，笔法多变，妙趣横生。写上山，用散文笔法，描绘山中奇景，嶙峋的怪石，变幻的光影，引出无限感慨；写下山，以小说笔法，叙述奇人奇事，惊险的旅途，怪异的车夫，富有传奇色彩。细读课文，或许还能感受到一份别样的幽默。此外，这是一篇翻译作品，译笔简练，多用成语，带书卷气。阅读时要注意体会课文的这些特点。

读读写写

雇			翌	日		穹	顶		逗	留		缭	绕		妩	媚
浮	躁		颠	簸		旷	野		打	嗝		轻	歌	曼	舞	
瞬	息	万	变		纷	至	沓	来		名	副	其	实			

20　一滴水经过丽江^①

阿　来

　　我是一片雪，轻盈地落在了玉龙雪山^②顶上。

　　有一天，我醒来，发现自己变成了坚硬的冰，和更多的冰挤在一起，缓缓向下流动。在许多年的沉睡里，我变成了玉龙雪山冰川的一部分。我望见了山下绿色的盆地——丽江坝，望见了森林、田野和村庄。张望的时候，我被阳光融化成了一滴水。我想起来，自己的前生，在从高空的雾气化为一片雪，又凝成一粒冰之前，也是一滴水。

　　是的，我又化成了一滴水，和瀑布里另外的水大声喧哗着扑向山下。在高山上，我们沉默了那么久，终于可以敞开喉咙大声喧哗。一路上，经过了许多高大挺拔的树，名叫松与杉。还有更多的树开满鲜花，叫作杜鹃，叫作山茶。经过马帮^③来往的驿道，经过纳西族^④村庄里的人们，他们都在说：丽江坝，丽江坝，那真是一个山间美丽的大盆地。从玉龙雪山脚下，一直向南，铺展开去。视线尽头，几座小山前，人们正在建筑一座城。村庄里的木匠与石匠，正往那里出发。后来我知道，视野尽头的那些山叫作象山、狮子山，更远一点，叫作笔架山。后来，我知道，那时是明代，纳西族的首领木氏家族率领百姓筑起了名扬世界的四方街。四方街筑成后，一个名叫徐霞客的远游人来了，把玉龙雪山写进了书里，把丽江古城写进了书里，让它们的名字四处流传。

　　我已经奔流到了丽江坝放牧着牛羊的草甸^⑤上，我也要去四方街。

　　但是，眼前一黑，我就和很多水一起，跌落到地底下去了。丽江人把高山溪流跌落到地下的地方叫作落水洞。落水洞下面，是很深的黑暗。曲折的水道，安静的深潭。在充满寂静和岩石的味道的地下，我又睡去了。

　　再次醒来，时间又过去了好几百年。

　　我是被亮光惊醒的。我和很多水从象山脚下的黑龙潭冒出来，咕咚一声翻上水面，看见了很多不同模样的人。黑头发的人，黄头发的人。黑眼睛的人，

---

① 选自《课堂内外》2013年6月号。略有改动。

② 〔玉龙雪山〕位于云南丽江玉龙纳西族自治县境内，在丽江市北面15千米，海拔5 596米。

③ 〔马帮〕驮运货物的马队。

④ 〔纳西族〕我国少数民族之一，主要分布在云南西北部、四川西南部。

⑤ 〔草甸〕长满野草的低湿地。

蓝眼睛的人。我看见了潭边的亭台楼阁，看见了花与树。我还顺着人们远眺的目光看见了玉龙雪山，晶莹夺目矗立在蓝天下面。潭水映照雪山，真让人目眩神迷啊。人们在桥上，在堤上，说着不同的语言。在不同的语言里，都有那个词频频出现：丽江，丽江。这时的丽江已经是一座很大的城了。城里也不是只有最初筑城的纳西人了。如今全中国全世界的人都要来丽江，看纳西古城的四方街，看玉龙雪山。

我记起了跌进落水洞前的心愿：也要流过四方街。

顺着玉河，我来到了四方街前。

进城之前，一道闸口出现在前面。过去，把水拦在闸前，是为了在四方街上的市集散去的黄昏开闸放水，古城的五花石的街道上，水流漫溢，洗净了街道。今天，一架大水车来把我们扬到高处，游览古城的人要把这水车和清凉的水做一个美丽的背景摄影留念。我乘水车转轮缓缓升高，看到了古城，看到了狮子山上苍劲的老柏树，看到了依山而起的重重房屋，看到了顺水而去的蜿蜒老街。古城的建筑就这样依止①于自然，美丽了自然。

从水车上哗然一声跌落下来，回到了玉河。在这里，我有些犹豫。因为河流将要一分为三，流过古城。作为一滴水，不可能同时从三条河中穿越同一座古城。因此，所有的水，都在稍作徘徊时，被急匆匆的后来者推着前行。来不及做出选择，我就跌进了三条河中的一条，叫作中河的那一条。

我穿过了一道又一道小桥。

我经过叮叮当当敲打着银器的小店。经过挂着水一样碧绿的翡翠的玉器店。经过一座院子，白须垂胸的老者们，在演奏古代的音乐。经过售卖纳西族的东巴象形文字②的字画店。我想停下来看看，东巴文的"水"字是怎样的写法。但我停不下来，没有看见。我确实想停下来，想被掺入砚池中，被蘸到笔尖，被写成东巴象形文的"水"，挂在店中，那样，来自全世界的人都看见我了。在又一座桥边，一个浇花人把手中的大壶没进了渠中。我立即投身进去，让这个浇花的妇人，把我带进了纳西人三坊③一照壁④的院子。院子里，兰花在盛开。浇花时，我落在了一朵香气隐约的兰花上。我看到了，楼下正屋，主人一家在闲话。楼上回廊，寄居的游客端着相机在眺望远山。楼上的客人和楼下的主人大声交谈。客人问主人当地的掌故。主人问客人远方的情形。

---

① 〔依止〕依托，依附。
② 〔东巴象形文字〕纳西族旧时在宗教经书中使用的一种图画文字。
③ 〔坊〕一栋三开间二层房屋称"一坊"。
④ 〔照壁〕在大门内或外对着大门用于遮蔽、装饰的墙壁，也叫"照墙""影壁"等。

太阳出来了，我怕被迅速蒸发，借一阵微风跳下花朵，正好跳回浇花壶中。

黄昏时，主人再去打水浇花时，我又回到了穿城而过的水流之中。这时，古城五彩的灯光把渠水辉映得五彩斑斓。游客聚集的茶楼酒吧中，传来人们的欢笑与歌唱。这些人来自远方，在那些地方，即便是寂静时分，他们的内心也很喧哗；在这里，尽情欢歌处，夜凉如水，他们的心像一滴水一样晶莹。

好像是因为那些鼓点的催动，水流得越来越快。很快，我就和更多的水一起出了古城，来到了城外的果园和田地里。一些露珠从树叶上落下，加入了我们。在宽广的丽江坝中流淌，穿越大地时，头顶上是满天星光。一些薄云掠过月亮时，就像丽江古城中，一个银匠，正在擦拭一只硕大的银盘。

黎明时分，作为一滴水，我来到了喧腾奔流的金沙江边，跃入江流，奔向大海。我知道，作为一滴水，我终于以水的方式走过了丽江。

🜨 阅读提示

这是一篇别具一格的游记作品。与一般游记作品以人的游踪为线索不同，作者化身为一滴水，以水的踪迹为线索，全方位展现了丽江古城的自然风光、历史沿革和人文景观，构思新颖，视角独特。这滴水，自玉龙雪山流下，一路向南，流过美丽的丽江坝，看过初建的丽江城，见证了人世的沧桑巨变；最终在昏睡数百年后再次醒来，来到现代的四方街。他登上水车，远眺古城全貌；跨入小店，领略东巴文字的魅力；投身民居，体验百姓生活的恬淡；之后穿城而出，欣赏古城五彩斑斓的夜和旷野宁谧澄澈的美；在得偿凤愿后，跃入金沙江，完成了圆满的丽江之行。朗读课文，注意想象这滴水的奇幻生命旅程，体会作者写景中饱含的情感。

三 读读写写

闸		砚		蘸		喧哗		奔流		矗立	
映照		苍劲		翡翠		眺望		擦拭		硕大	
喧腾		亭台楼阁				目眩神迷					

学写游记

你有没有和父母、同学一起外出旅游过呢？把游览时的经历和感受写下来，就是游记。

- 5月28日，我和爸妈一起去游览北海公园。
- 10点，我们到了公园门口，买票进去。
- 首先看到公园里有一个很大的湖，一些人在湖上划船，湖边有很多游客。
- 我们沿湖行走，湖边有亭子，亭中有人休息。
- 我们登上了名为琼岛的小岛，看到了负有盛名的北海白塔。

> 游记可不是流水账，不仅要写游览过程，还要描写沿途的景物，并表达自己的感受哦！

游记往往包含两方面的内容：一是交代游踪，通过游踪记述游览的经过，以此串起全文；二是描写景物，抒发感受。后者是写作的重点，须详写；前者则宜简略，只要能起到交代和串联作用即可，不必将游览行动巨细无遗地叙述出来。当然，游览过程中一些特别的经历也可写出来，以增强文章的可读性。比如《登勃朗峰》的后半部分，写那个"车夫之王"的言行，这是旅途中难得的趣事，值得一写。

写游记跟旅游中照相有些相似。拍摄自己眼中的美景，不会是随意的：一是选择那些具有地标性的、最富特色的或者最能打动你的景物来拍照，定格成永久的回忆；二是拍照时要选好角度，构思好画面，不留遗憾。写游记同样如此，抓住最富有特征或代表性的，或者是你感受最深的景物来写，从不同的角度，运用不同的表现手法，鲜明地呈现其独特、令人难忘之处。例如《壶口瀑布》中以多种修辞手法，着力表现瀑布浊浪奔腾、前呼后拥的夺人气势，让人读来心魄震撼。

游记与照相又不一样，它比照片要丰富得多。照片是静态的，靠形象、构图、光线表情达意；而游记则是动态的，要写出游览过程中的所见所闻，其中还会渗透作者的情感。例如《在长江源头各拉丹冬》中所写的冰塔林的景物，就是经过作者选择的，融入了主观的情感，表现出人在自然奇景面前的渺小；作者常常在描写之后直接发表议论和抒情，表达景物带给自己的震撼以及对自然神奇伟力的赞美，更是"画外"之音，极大地丰富了文章的内涵。

一篇好的游记，往往还具有知识性。读者不仅能够从中了解景物的美妙和作者的情怀，还能从中获得相关的知识。例如《在长江源头各拉丹冬》中谈到长江考察热及中外勇士的探险，《一滴水经过丽江》中谈到丽江的历史，谈到东巴文字，都增强了文章的可读性和文化气息。这就需要游览时用心搜集相关材料，在写作时恰如其分地运用。

写作实践

一　游记常常要对某处景物做定点观察，以写出景物的特点。选择一处自己游览过的景点，围绕其中一处风景，写一个片段。200字左右。

　　提示：

　　1. 选择某一处风景来写，不要贪多，不要面面俱到。

　　2. 细致观察，具体描绘该处风景，不要泛泛而谈。

　　3. 描写风景时要融入一些个人感受，尽可能写出自己独特的体验。

二　我们可能都有过旅游的经历。旅途中，我们不仅观赏自然风光，了解民风民俗，同时也会有许多新奇的感受，产生很多思考和遐想。选择一处自己游览过的景点，自拟题目，写一篇游记。不少于600字。

　　提示：

　　1. 先画出当时的游览路线图，按游览顺序拟出写作提纲。

　　2. 回想游览时最深的印象及总体感受，据此确定材料取舍与叙述详略。

　　3. 在记叙或描写中融入自己的情感，也可以适当加入一些人文景观的介绍或引用他人的描写、评价等，以丰富文章内容。

三　参观一处纪念馆（或博物馆、展览馆），以《参观_____》为题，写一篇参观记。不少于600字。

　　提示：

　　1. 参观时可以有意识地做一些记录，作为写作的素材。

　　2. 参观过程中看到的东西不可能全都写进作文中，要有重点、有选择地写，做到主次分明，详略得当，重点突出。

　　3. 参观的目的是开阔眼界，增长知识，接受教育。在适当的地方，要点出你所得到的教益或受到的启发。

即席讲话

上课发言时，有些同学思路清晰，言辞流利；另一些同学则磕磕巴巴，语无伦次。其实课堂发言就是一种即席讲话，同学们的不同表现，有时与学习水平高低关系不大，却与能否熟练运用即席讲话的技巧密切相关。

即席讲话一般没有指定的题目，也没有充足的准备时间，事先应尽量了解要参加的活动，略做准备，做到心中有数。有了准备，就能缓解紧张的情绪，有利于临场发挥。

即席讲话，要根据特定的背景、场合决定说什么和怎么说，以取得较佳的讲话效果。有经验的讲话者常常能就地取材，以当时的人、事、景、物、情作为切入点，这样不仅能让自己的讲话妥当、得体，还容易引起听者的共鸣。除此之外，讲话者还要认真聆听，可以由他人的发言引出自己的话。

1929年1月，应教育家陶行知之邀，剧作家田汉率"南国社"来到位于南京郊区的晓庄师范，为师生和附近的农民表演话剧。在欢迎仪式上，陶行知即席致辞：

"今天我是以'田汉'的资格欢迎田汉。晓庄是为农民而办的学校，农民是晓庄师生的好朋友。我们的教育是为种田汉而办的教育。……所以，我是以一个'种田汉'代表的资格在这儿欢迎田汉。"

田汉随即致答辞：

"陶先生说，他是以'田汉'的资格欢迎田汉，实不敢当！我是一个'假田汉'，陶先生是个'真田汉'，我这个'假田汉'能够受到陶先生这个'真田汉'以及在座的许多'真田汉'的欢迎，实在感到荣幸。我们一定要向'真田汉'学习！"

这样巧妙借"名"发挥，不但使讲话热情洋溢，趣味盎然，还表达了陶行知的平民教育思想和田汉"到民间去"的艺术主张，可谓辞理俱佳。

即席讲话不宜长篇大论，要观点明确，针对性强。不能模棱两可，含糊其词；也不能东拉西扯，离题万里。1936年10月22日，鲁迅先生的灵柩在上海万国公墓安葬，出版界代表邹韬奋即席讲话，他说："今天天色不早，我愿用一句话来纪念鲁迅先生：有人是不战而屈，鲁迅先生是战而不屈。"邹韬奋的话既讽刺了投降派、软骨头，又赞颂了鲁迅先生勇敢战斗、决不屈服的可贵品格，而且切合主题，可谓态度鲜明，掷地有声。

成功的即席讲话，大多有着鲜明的语言特色，或机智敏捷，或幽默诙谐，或精练隽永，或简洁明快，或优美动人，或情真意切。想让自己的即席讲话给别人留下深刻印象，平时就要注意多说多练，提高自己的口头表达能力。

口语实践

一　以小组为单位，每名同学提供两个话题，本组同学随机抽取，并就自己抽到的话题做两分钟的即席讲话。

> 提示：
>
> 1. 可以把话题写在纸条上，将纸条混在一起，由同学们轮流抽取。
>
> 2. 一名同学讲话时，其他同学要注意聆听，并在其讲完后讨论、评价，提出改进意见。
>
> 3. 当众讲话时，感到紧张是正常的。可以通过深呼吸、微笑等方法来帮助自己放松下来。也可以默默地鼓励自己，以缓解紧张情绪。

二　从下列情境中选择一个，本组同学每人做3分钟左右的即席讲话。每组推选一名同学做代表，由语文老师指定情境和讲话时间，分别做即席讲话。

> **情境1**：同学的生日聚会上送祝福
>
> **情境2**：班会上分享个人读书经验
>
> **情境3**：学校夏令营结束后谈感受
>
> **情境4**：代表班级祝老师新年快乐
>
> 提示：
>
> 1. 讲话时要考虑所选情境的主题和氛围特点，力求让自己的讲话合情合理。
>
> 2. 认真聆听，注意与其他同学的讲话相呼应。明确讲话的目的，让自己的讲话内容集中、充实。
>
> 3. 在准确表情达意的基础上，尽量使自己的语言有特色，吸引人。

第六单元

憧憬美好的社会生活，反思现实的生存状态，是经典作品中的永恒主题。本单元所选课文，都是传统的名家名篇。其中有对精神自由的渴望，有对学习生活、理想社会的期望，有"不平则鸣"的呐喊，有对民生疾苦的同情。这些诗文有情趣，有理趣，表现了古人的哲思和情怀。

学习本单元，要在反复诵读的基础上，培养文言语感；注意积累常用文言词语和句式，欣赏课文中精彩的语句；还要学习古人论事说理的技巧，体会他们的人生感悟，从中得到思想启迪和情感陶冶。

21 《庄子》二则①

· ·

预习

　　◎ 庄子笔下的"鹏"这一形象对后世影响深远。搜集与"鹏"有关的文学形象、诗词名句、成语典故，与同学交流。

　　◎ 善于运用寓言故事说理，想象雄奇瑰丽，是《庄子》的特色。朗读课文，体会这一特点。

· ·

北冥②有鱼

　　北冥有鱼，其名为鲲③。鲲之大，不知其几千里也；化而为鸟，其名为鹏。鹏之背，不知其几千里也；怒④而飞，其翼若垂天之云⑤。是鸟也，海运⑥则将徙于南冥。南冥者，天池⑦也。《齐谐》者，志怪⑧者也。《谐》之言曰："鹏之徙于南冥也，水击⑨三千里，抟扶摇而上者九万里⑩，去以六月息⑪者也。"野马也，尘埃也，生物之以息相吹也⑫。天之苍苍，其正色邪？其远而无所至极邪⑬？其视下也⑭，亦若是则已矣⑮。

---

① 选自《庄子集释》（中华书局1961年版）。庄子（约前369—前286），名周，宋国蒙（今河南商丘东北）人，战国时期哲学家，道家学派的代表人物。《庄子》一书是庄子及其后学的著作，现存33篇，包括内篇7篇、外篇15篇、杂篇11篇。本课第一则节选自内篇中的《逍遥游》，第二则节选自外篇中的《秋水》。题目是编者加的。

② 〔北冥〕北海。庄子想象中的北海，应该在北方的不毛之地。冥，同"溟"，海。下文的"南冥"指南海。

③ 〔鲲（kūn）〕大鱼名。

④ 〔怒〕振奋，这里指用力鼓动翅膀。

⑤ 〔垂天之云〕悬挂在天空的云。

⑥ 〔海运〕海水运动。古代有"六月海动"之说，海动必有大风，大鹏可借风力南飞。

⑦ 〔天池〕天然形成的水池。

⑧ 〔志怪〕记载怪异的事物。志，记载。

⑨ 〔水击〕击水，拍打水面。

⑩ 〔抟（tuán）扶摇而上者九万里〕乘着旋风盘旋飞至九万里的高空。抟，盘旋飞翔。扶摇，旋风。

⑪ 〔去以六月息〕凭借着六月的大风离开。息，气息，这里指风。

⑫ 〔野马也，尘埃也，生物之以息相吹也〕山野中的雾气，空气中的尘埃，都是生物用气息吹拂的结果。野马，山野中的雾气，奔腾如野马。

⑬ 〔天之苍苍，其正色邪？其远而无所至极邪〕天色湛蓝，是它真正的颜色吗？还是因为天空高远而看不到尽头呢？其，表示选择。

⑭ 〔其视下也〕大鹏从天空往下看。其，代大鹏。

⑮ 〔亦若是则已矣〕也不过像人在地面上看天一样罢了。是，这样。

庄子与惠子①游于濠梁②之上

　　庄子与惠子游于濠梁之上。庄子曰："鲦鱼③出游从容，是鱼之乐也。"惠子曰："子非鱼，安知鱼之乐？"庄子曰："子非我，安知我不知鱼之乐？"惠子曰："我非子，固不知子矣；子固非鱼也，子之不知鱼之乐，全④矣！"庄子曰："请循其本⑤。子曰'汝安知鱼乐'云者，既已知吾知之而问我，我知之濠上也。"

---

①〔惠子〕即惠施，战国时期哲学家，庄子的好友。
②〔濠（háo）梁〕濠水上的桥。濠，水名，在今安徽凤阳。
③〔鲦（tiáo）鱼〕一种白色小鱼。
④〔全〕完全，完备。
⑤〔循其本〕追溯话题本源。循，追溯。

思考探究

一 背诵《北冥有鱼》，说说文中讲了哪几层意思，作者笔下的"鹏"是个什么样的形象。

二 熟读《庄子与惠子游于濠梁之上》，复述这则故事，并回答下列问题。

　　1. 庄子与惠子的论辩十分巧妙，试说说巧妙在哪里。

　　2. 庄子为什么说他知道"鱼之乐"？谈谈你的理解。

积累拓展

三 解释下列加点的词。

　　1. 怒而飞，其翼若垂天之云

　　2.《齐谐》者，志怪者也

　　3. 子非鱼，安知鱼之乐

　　4. 请循其本

四 李白一生常以大鹏自比，下面这首《上李邕》，是他写给当时德高望重的名士、北海太守李邕的。结合注释，并查阅工具书，说说诗人借助大鹏的形象表达了怎样的情感。

　　　　大鹏一日同风起，扶摇直上九万里。
　　　　假令风歇时下来，犹能簸却沧溟水。
　　　　世人见我恒殊调，见余大言皆冷笑。
　　　　宣父①犹能畏后生②，丈夫未可轻年少。

① 宣父：指孔子。唐太宗贞观十一年（637）下诏尊称孔子为"宣父"。
② 畏后生：语出《论语·子罕》"后生可畏，焉知来者之不如今也"。

22 《礼记》二则①

预习

◎《虽有嘉肴》是《礼记·学记》中的一段。想一想，其中有关学习的观点，是否仍适用于今天？《大道之行也》是《礼记·礼运》中的一段，是孔子对学生言偃说的一番话。体会一下孔子说话时的情绪。

◎ 朗读课文，注意其中一些词语古今意义的不同。

虽有嘉肴

虽有嘉肴，弗食，不知其旨②也；虽有至道③，弗学，不知其善也。是故学然后知不足，教然后知困④。知不足，然后能自反⑤也；知困，然后能自强也。故曰：教学相长⑥也。《兑命》⑦曰"学学半⑧"，其此之谓乎！

大道⑨之行也

大道之行也，天下为公⑩。选贤与能⑪，讲信修睦⑫。故人不独亲其

---

① 选自《礼记正义》（上海古籍出版社2008年版）。《礼记》，战国至秦汉间儒家论著的汇编，相传是西汉经学家戴圣编纂的。

②〔旨〕味美。

③〔至道〕最好的道理。

④〔困〕困惑。

⑤〔自反〕自我反思。

⑥〔教学相长〕教与学是互相推动、互相促进的。

⑦〔兑（yuè）命〕即《说（yuè）命》，《尚书》中的一篇。

⑧〔学（xiào）学半〕教别人，占自己学习的一半。前一个"学"同"敩（xiào）"，教导。

⑨〔大道〕指儒家推崇的上古时代的政治制度。

⑩〔天下为公〕天下是公共的。

⑪〔选贤与（jǔ）能〕选拔推举品德高尚、有才干的人。贤，指品德高尚。能，指才干出众。与，同"举"。

⑫〔讲信修睦（mù）〕讲求诚信，培养和睦气氛。修，培养。

亲^①，不独子其子^②，使老有所终^③，壮有所用^④，幼有所长，矜、寡、孤、独、废疾者^⑤皆有所养，男有分^⑥，女有归^⑦。货恶其弃于地也，不必藏于己^⑧；力恶其不出于身也，不必为己^⑨。是故谋闭而不兴^⑩，盗窃乱贼^⑪而不作^⑫，故外户而不闭^⑬。是谓大同。

思考探究

一　背诵《虽有嘉肴》，说说这篇短文的中心论点是什么，作者是怎样进行论述的。

二　背诵《大道之行也》，归纳一下儒家的大同社会理想包括哪些方面。

三　这两则短文多运用对偶句，造成铺排效果，增强了文章的气势。试从两篇中各举一例加以分析。

积累拓展

四　解释下列加点的词语，注意古今意义的区别和联系。

1. 故曰：教学相长也

2. 不独子其子

3. 男有分，女有归

4. 货恶其弃于地也

5. 盗窃乱贼而不作

---

① 〔不独亲其亲〕不只是敬爱自己的父母。第一个"亲"用作动词，以……为亲。第二个"亲"指父母。

② 〔不独子其子〕不只是疼爱自己的子女。第一个"子"用作动词，以……为子。第二个"子"指子女。

③ 〔有所终〕有终老的保障。

④ 〔有所用〕能够发挥自己的才能，为社会效力。

⑤ 〔矜（guān）、寡、孤、独、废疾者〕矜，同"鳏"，老而无妻；寡，老而无夫；孤，幼而无父；独，老而无子；废疾，有残疾而不能做事。者，……的人。

⑥ 〔分（fèn）〕职分，职守。

⑦ 〔归〕女子出嫁。

⑧ 〔货恶其弃于地也，不必藏于己〕财物，厌恶把它扔在地上，但（之所以厌恶）不一定是因为想要据为己有。

⑨ 〔力恶其不出于身也，不必为己〕力气，厌恶它不出于自己，但（愿意自己多出力）不一定是为了自己的私利。

⑩ 〔谋闭而不兴〕图谋之心闭塞而不会兴起。

⑪ 〔乱贼〕作乱害人。

⑫ 〔作〕兴起。

⑬ 〔外户而不闭〕门从外面带上，而不从里面闩上。外户，从外面把门带上。闭，用门闩插上。

五　下面是《礼记·学记》中的一些格言警句，查阅工具书，结合自己的学习
　　经验，谈谈你的理解。

　　1. 玉不琢，不成器；人不学，不知道。

　　2. 时过然后学，则勤苦而难成。

　　3. 独学而无友，则孤陋而寡闻。

　　4. 善问者，如攻坚木，先其易者，后其节目。

《礼记·檀弓》故事二则

　　孔子过泰山侧，有妇人哭于墓者而哀。夫子式而听之，使子贡问之曰：
"子之哭也，一似重有忧者。"而曰："然。昔者吾舅死于虎，吾夫又死焉，今
吾子又死焉。"夫子曰："何为不去也？"曰："无苛政。"夫子曰："小子识之：
苛政猛于虎也！"

　　齐大饥，黔敖为食于路，以待饿者而食之。有饿者蒙袂辑屦，贸贸然来。
黔敖左奉食，右执饮，曰："嗟！来食。"扬其目而视之，曰："予唯不食嗟来
之食，以至于斯也。"从而谢焉。终不食而死。

23 马 说①

韩 愈

阅读提示

"伯乐相马"是一个古老的传说，讲的是春秋时期伯乐发现千里马的故事。作者在本文中却另翻新意，提出一个新颖的观点："世有伯乐，然后有千里马。"作者能有这样的认识，与他的经历有关。韩愈年轻时，曾几次上书给当朝权相，希望得到重用，以展才志，但都被冷落。本文可以说是他的一篇"不平则鸣"之作。阅读课文，注意作者的思想情感和言简意赅的行文特点。

世有伯乐②，然后有千里马。千里马常有，而伯乐不常有。故虽有名马，祗③辱于奴隶人④之手，骈死⑤于槽枥⑥之间，不以千里称⑦也。

马之千里者，一食⑧或⑨尽粟一石⑩。食⑪马者不知其能千里而食也。是马也，虽有千里之能，食不饱，力不足，才美不外见⑫，且⑬欲与常马等不可得，安求其能千里也？

---

① 选自《韩昌黎文集校注》卷一（上海古籍出版社1986年版）。这是作者《杂说》四篇中的第四篇。题目是后人加的。韩愈（768—824），字退之，河阳（今河南孟州）人，自谓郡望昌黎，世称"韩昌黎"，唐代文学家、思想家、教育家。

② 〔伯乐〕本名孙阳，字伯乐，春秋时秦国人，擅长相马。

③ 〔祗（zhǐ）〕同"祗（只）"，只、仅。

④ 〔奴隶人〕奴仆。

⑤ 〔骈（pián）死〕（和普通马）一同死。骈，本义为两马并驾，引申为并列。

⑥ 〔槽枥（lì）〕马槽。

⑦ 〔不以千里称〕不以千里马而著称，指人们并不知道。

⑧ 〔一食〕吃一次。

⑨ 〔或〕有时。

⑩ 〔石〕容量单位，十斗为一石。

⑪ 〔食（sì）〕同"饲"，喂。下文"而食""食之"中的"食"读音和意思与此相同。

⑫ 〔外见（xiàn）〕表现在外面。见，同"现"。

⑬ 〔且〕犹，尚且。

策之①不以其道②，食之不能尽其材③，鸣之而不能通其意④，执策而临⑤之，曰："天下无马！"呜呼！其真无马邪⑥？其真不知马也！

❓ 思考探究

一 熟读并背诵课文，说说作者借千里马表达了什么观点，寄寓了怎样的情感。

二 这篇短文仅100余字，多次提到"千里马"，却不显得啰唆。作者提到"千里马"的方式有哪几种？各具有怎样的效果？

三 翻译下列句子，注意句子的语气特点。

1. 马之千里者，一食或尽粟一石。

2. 且欲与常马等不可得，安求其能千里也？

3. 鸣之而不能通其意……

4. 呜呼！其真无马邪？其真不知马也！

四 阅读下面的短文，结合课文，写一段文字，谈谈你对人才问题的看法。不少于300字。

> 上①令封德彝②举贤，久无所举。上诘之，对曰："非不尽心，但于今未有奇才耳！"上曰："君子用人如器，各取所长。古之致治者③，岂借才于异代乎？正患己不能知，安可诬一世之人？"德彝惭而退。
>
> ——《资治通鉴·唐纪八》

① 上：皇上，指唐太宗。
② 封德彝（568—627）：名伦，字德彝，唐代官员，官至尚书右仆射。
③ 致治者：使国家达到大治的人。

---

① 〔策之〕用马鞭赶它。策，马鞭，这里是动词，用马鞭驱赶。
② 〔不以其道〕指不按照（驱使千里马的）正确方法。
③ 〔食之不能尽其材〕喂它，却不能让它竭尽才能。材，才能、才干。
④ 〔鸣之而不能通其意〕它鸣叫，却不能通晓它的意思。
⑤ 〔临〕面对。
⑥ 〔其真无马邪〕真的没有千里马吗？其，表示加强诘问语气。

24　唐诗三首

预习

◎　杜甫和白居易都是唐代现实主义诗歌的代表诗人。结合注释初步读懂这三首诗歌，感受诗中所描述的社会现实，体会诗人的情怀。

◎　朗诵这三首诗，体会古体诗在句式、用韵等方面的特点。

石壕吏①

杜　甫

暮投②石壕村，有吏夜捉人。老翁逾墙走，老妇出门看。

吏呼一何③怒！妇啼一何苦！

听妇前致词④：三男邺城戍⑤。一男附书至⑥，二男新⑦战死。存者且偷生，死者长已⑧矣！室中更无人，惟有乳下孙⑨。有孙母未去⑩，出入无完裙⑪。老妪⑫力虽衰，请从吏夜归，急应河阳役，犹得备晨炊。

夜久语声绝，如闻泣幽咽⑬。天明登前途，独与老翁别。

① 选自《杜诗详注》卷七（中华书局1979年版）。唐肃宗乾元元年（758），为平定安史之乱，唐军围攻叛军所占的邺（yè）郡（今河南安阳），胜利在望。次年春，形势发生逆转，唐军全线崩溃，退守河阳（今河南孟州），并四处抽丁补充兵力。杜甫此时从洛阳回华州（今属陕西渭南），途经新安、石壕、潼关等地，根据目睹的现实写了一组诗，《石壕吏》是其中一首。石壕，即石壕村，在今河南三门峡东南。吏，小官，这里指差役。

② 〔投〕投宿。

③ 〔一何〕多么。

④ 〔前致词〕走上前去（对差役）说话。

⑤ 〔戍（shù）〕防守。

⑥ 〔附书至〕捎信回来。

⑦ 〔新〕最近。

⑧ 〔已〕停止，这里指生命结束。

⑨ 〔乳下孙〕还在吃奶的孙子。

⑩ 〔有孙母未去〕（因为）有孙子在，（所以）他的母亲还没有离去。

⑪ 〔完裙〕完整的衣服。裙，这里泛指衣服。

⑫ 〔老妪（yù）〕老妇。

⑬ 〔幽咽（yè）〕形容低微、断续的哭声。

茅屋为秋风所破歌①

杜　甫

八月秋高风怒号，卷我屋上三重茅②。茅飞渡江洒江郊，高者挂罥③长④林梢，下者飘转沉塘坳⑤。

南村群童欺我老无力，忍能对面为盗贼⑥。公然抱茅入竹去，唇焦口燥呼不得⑦，归来倚杖自叹息。

俄顷⑧风定云墨色，秋天漠漠⑨向昏黑⑩。布衾⑪多年冷似铁，娇儿恶卧踏里裂⑫。床头屋漏无干处，雨脚如麻⑬未断绝。自经丧乱⑭少睡眠，长夜沾湿何由彻⑮！

安得广厦千万间，大庇天下寒士⑯俱欢颜！风雨不动安如山。呜呼！何时眼前突兀⑰见此屋，吾庐独破受冻死亦足！

① 选自《杜诗详注》卷十（中华书局1979年版）。这首诗作于唐肃宗上元二年（761），当时安史之乱还未平定。诗中的茅屋即指成都近郊的草堂。
②〔三重（chóng）茅〕多层茅草。
③〔挂罥（juàn）〕挂着，挂住。罥，挂结。
④〔长（cháng）〕高。
⑤〔沉塘坳（ào）〕沉到池塘水中。坳，水势低的地方。
⑥〔忍能对面为盗贼〕竟然狠心这样当面做抢掠的事。忍，狠心。能，如此、这样。
⑦〔呼不得〕喝止不住。
⑧〔俄顷〕一会儿。
⑨〔漠漠〕阴沉迷蒙的样子。
⑩〔向昏黑〕渐渐黑下来。向，接近。
⑪〔衾（qīn）〕被子。
⑫〔娇儿恶卧踏里裂〕孩子睡相不好，把被里蹬破了。
⑬〔雨脚如麻〕形容雨点不间断，像下垂的麻线一样密集。
⑭〔丧乱〕战乱，指安史之乱。
⑮〔何由彻〕如何挨到天亮。何由，怎能、如何。彻，到，这里是"彻晓"（到天亮）的意思。
⑯〔寒士〕贫寒的士人。
⑰〔突兀（wù）〕高耸的样子。

卖炭翁①

白居易

卖炭翁，伐薪②烧炭南山③中。满面尘灰烟火色，两鬓苍苍④十指黑。卖炭得钱何所营⑤？身上衣裳口中食。可怜身上衣正单，心忧炭贱愿天寒。夜来城外一尺雪，晓驾炭车辗冰辙。牛困人饥日已高，市⑥南门外泥中歇。

翩翩⑦两骑来是谁？黄衣使者白衫儿⑧。手把文书⑨口称敕⑩，回⑪车叱⑫牛牵向北⑬。一车炭，千余斤，宫使驱将⑭惜不得⑮。半匹红纱一丈绫⑯，系⑰向牛头充炭直⑱。

① 选自《白居易集》卷四（中华书局1979年版）。这是诗人创作的组诗《新乐府》五十首中的第三十二首。诗人有自注云："《卖炭翁》，苦宫市也。"唐德宗贞元末，宫中派宦官到民间市场强行低价买物，名为"宫市"，实为掠夺。

② 〔薪〕木柴。

③ 〔南山〕终南山，属秦岭山脉，在长安城南。

④ 〔苍苍〕灰白。

⑤ 〔何所营〕做什么用。营，谋求。

⑥ 〔市〕城市中划定的集中进行交易的场所。唐代长安有东、西两市，各有东、西、南、北四门。

⑦ 〔翩翩〕轻快的样子。

⑧ 〔黄衣使者白衫儿〕黄衣使者，指太监。白衫儿，指太监手下的爪牙。

⑨ 〔文书〕公文。

⑩ 〔敕（chì）〕指皇帝的命令。

⑪ 〔回〕掉转。

⑫ 〔叱（chì）〕吆喝。

⑬ 〔牵向北〕长安城宫廷在北面，集市在南面。

⑭ 〔将〕助词，用于动词之后。

⑮ 〔惜不得〕吝惜不得。

⑯ 〔半匹红纱一丈绫〕唐代商品交易，钱帛并用，但"半匹红纱一丈绫"远远低于一车炭的价值。

⑰ 〔系〕挂。

⑱ 〔直〕同"值"，价钱。

一 《石壕吏》和《茅屋为秋风所破歌》均为杜甫在安史之乱中的名作，表现了诗人对战争的控诉和对民生疾苦的关怀，但具体的写作手法有所不同。《石壕吏》只是"客观"地叙述，并无情感、态度的直接表露；《茅屋为秋风所破歌》则先描述个人遭际，结尾处借助议论和抒情升华。试结合作品分析这两种写法的表达效果。

二 《卖炭翁》讲述了卖炭翁以伐薪烧炭艰难维持生计却横遭掠夺的悲惨故事，从中可以看出当时怎样的社会现实？诗人的态度又是怎样通过对人物、事件的描述表现出来的？

三 这三首诗中有不少精彩之处，如《石壕吏》的巧妙构思，《茅屋为秋风所破歌》中对恶劣天气和生活环境的描写，《卖炭翁》中对卖炭老人及宫使形象的刻画等。试结合具体诗句做简要分析。

积累拓展

四 背诵这三首诗。

五 任选一首诗，发挥想象，增加一些细节，改写成一则小故事。

新乐府序
白居易

序曰：凡九千二百五十二言，断为五十篇。篇无定句，句无定字，系于意，不系于文。首句标其目，卒章显其志，《诗三百》之义也。其辞质而径，欲见之者易谕也。其言直而切，欲闻之者深诫也。其事核而实，使采之者传信也。其体顺而肆，可以播于乐章歌曲也。总而言之，为君、为臣、为民、为物、为事而作，不为文而作也。

（选自《白居易集》卷三）

学写故事

我最喜欢听人讲故事了!

我也是。我还喜欢自己读故事,故事里曲折的情节、生动的描述常常让我入迷,甚至废寝忘食!

你一定也有过与这两名同学类似的体验吧?我们以前更多的是听故事、读故事,现在不妨也来尝试写故事吧。

写故事一定要有头有尾,完整地叙述一件事。当然,这件事不能太简单,看了开头就能猜出结局;也不能平铺直叙,平淡无奇,否则无法引起读者的阅读兴趣。在情节发展中设置一些小的悬念,增加一些波折,结尾能出人意料,等等,都是增加故事趣味性的好办法。比如蒲松龄的《狼》,篇幅不长,但写得一波三折,读来引人入胜。不妨再读一遍这篇文章,看看是不是有这样的特点。

故事中的人物要有血有肉,形象丰满,有趣味。比如在《孙权劝学》中,吕蒙就是一个个性鲜明、形象生动的人。由借口"军中多务"不肯读书,到听了孙权的劝告"乃始就学",到"非复吴下阿蒙",乃至令人"刮目相看",表现了他听从劝告、学有所成的进步过程,也体现出他志趣的发展变化。这样写,人物形象才更加丰满。

故事允许有联想、想象的成分。设定故事情节后,可以通过适当的联想和想象去丰富细节,使情节更加曲折,人物更加生动。比如《卖炭翁》中,作者对卖炭老人的外貌和心理做了细致的描绘，特别是"可怜身上衣正单，心忧炭贱愿天寒"一句，将老人的艰难处境和矛盾心理刻画得如此真切，催人泪下。

写作实践

一　以小组为单位，围绕一个话题，同学自由发挥想象，开展故事接龙活动。

　　提示：

　　1. 小组先进行讨论，确定故事的话题、人物等。如"有人摔倒了""那一天，我遇到了他（她）""一个外星人站在我的面前"等。

　　2. 小组同学依次接续，每人至少说一个完整的句子（或一个小的情节），接上前边的内容。时间约5分钟，要尽可能说成一个比较完整的故事。

　　3. 推选一名同学将小组讲述的故事完整地讲给全班同学听。比一比，看哪个小组讲得最吸引人。

二　在你的身边或社会上，每天都在发生着各种各样有趣的或有意义的事。以某一件事为素材，展开合理的想象，自拟题目，写一篇故事。不少于600字。

　　提示：

　　1. 选择的某件事只是一个基本素材，可以在此基础上加入合理的联想和想象，丰富某些细节，增加情节的曲折性，使故事更吸引人。

　　2. 可以赋予故事中的人物一些突出的特点，围绕这些特点展开情节。

　　3. 写完后读给别人听，看看是否能够吸引他们，并参考他们的意见做出修改。

三　我们熟悉的各种事物，都可能引发故事，比如眼睛、头发、嘴巴，比如校服、手机，又比如军训、旅游、社会实践活动，等等。这些物或事一定有不少值得挖掘的地方，有不少出人意料的富有戏剧性的故事。以《_____的故事》为题，写一篇作文。不少于600字。

　　提示：

　　1. 先将题目补充完整，可以在横线上填入诸如"头发""军训""一张电影票"等词语，再去写故事。

　　2. 可以先列一个提纲，把主要情节构思好，要让情节有些波澜。

　　3. 要有合理的联想与想象，使故事情节更加生动、曲折、感人。

以和为贵

中国文化崇尚"和"，有关"和"的思想源远流长，丰富多彩。"和"既被视为诞育万物的本原，也被看作修德养性的关键，还被认为是社会交往的准绳，更被尊奉为国家共处的原则。"和"的重要性体现在我们的语言当中：故宫的三大殿被命名为"太和殿""中和殿""保和殿"，商人们常说"和气生财"，贺人新婚要讲"和和美美""琴瑟谐和"，等等。下面的活动围绕"和"展开，小组内分头开展活动，探究"和"的内涵与作用，最后全班集中开一次讨论会。

一、探"和"之义

1. 孔子说："君子和而不同，小人同而不和。"（《论语·子路》）其中"和而不同"的思想，不仅是一种人际交往的方式，更是一种对待世界的哲学态度。"和而不同"已经成为中华民族传统文化的核心命题之一。当然，重视"和"的思想，对"和"与"同"内涵的思考并不始于孔子，也不止于孔子。借助工具书，理解下面的材料，小组讨论："和"与"同"有什么区别？古人论述"和而不同"的思路是怎样的？"和而不同"在当下有什么意义？

> 云"君子和而不同"者，和，谓心不争也；不同，谓立志各异也。君子之人千万，千万其心和如一，而所习立之志业不同也。云"小人同而不和"者，小人为恶如一，故云同也；好斗争，故云不和也。
>
> ——皇侃《论语集解义疏》
>
> 和者，无乖戾之心；同者，有阿比之意。
>
> ——朱熹《四书章句集注》
>
> 和因义起，同由利生。义者，宜也，各适其宜，未有方体，故不同。然不同因乎义，而非执己之见，无伤于和。利者，人之所同欲也，民务于是，则有争心，故同而不和。此君子、小人之异也。
>
> ——刘宝楠《论语正义》

（齐景）公曰："唯（梁丘）据与我和夫。"晏子对曰："据亦同也，焉得为和？"公曰："和与同异乎？"对曰："异。……君所谓可而有否焉，臣献其否以成其可；君所谓否而有可焉，臣献其可以去其否。是以政平而不干，民无争心。……今据不然。君所谓可，据亦曰可；君所谓否，据亦曰否。若以水济水，谁能食之？若琴瑟之专一，谁能听之？同之不可也如是。"

——《左传·昭公二十年》

2. "和"的内涵是丰富的，古代经典中对"和"的论述也涉及多个方面。阅读下面的资料，也可自行搜集，适当补充，理解"和"多样化的思想内涵，尝试用几个关键词概括"和"的含义。

克明俊德，以亲九族；九族既睦，平章百姓；百姓昭明，协和万邦。

——《尚书·尧典》

喜怒哀乐之未发谓之中，发而皆中节谓之和。中也者，天下之大本也；和也者，天下之达道也。致中和，天地位焉，万物育焉。

——《礼记·中庸》

3. 讨论之前要认真阅读、思考，讨论时要相互补充、启发。整理各人发言，汇总后放入本次综合性学习档案袋。

二、寻"和"之用

1. "和"的思想，用于调和人际关系，解决各种纠纷，可以概括为一句俗语，即"和为贵"。这是孔子弟子有若的话，原文为："礼之用，和为贵。"（《论语·学而》）这句话究竟是什么意思，历来说法很多。但人们在日常生活中，大多将"和为贵"中的"和"理解为"和睦""和气"等。下面这则《"六尺巷"的故事》，就是"和为贵"原则在生活中的体现。你还知道哪些体现"和为贵"的例子？课外搜集这方面的事例，可以是历史故事，也可以是身边的事，从中探寻"和为贵"的真谛。

"六尺巷"的故事

清康熙年间，礼部尚书、文华殿大学士张英的老家家人与邻居吴家在宅基地的问题上发生了争执，谁也不肯相让一丝一毫。家人飞书京城，让张英打招呼"摆平"吴家。

张英读完来信，随即写了一封信交给来人，命令快速带回老家。家人一见书信回来，喜不自禁，以为张英一定有一个强硬的办法，或者有什么锦囊妙计。但打开来，只见到一首打油诗：

一纸书来只为墙，让他三尺又何妨。

长城万里今犹在，不见当年秦始皇。

家人一合计，明白了张英的苦心：多年邻居，毕竟要以和为贵。于是立即将垣墙拆让三尺。大家交口称赞张英和他家人的谦让态度。尚书一家的忍让行为感动了吴姓邻居，他们也把围墙向后退三尺。争端很快平息了，于是，两家之间空出一条六尺宽的巷子。"六尺巷"由此得名。

2. 张英的打油诗，其实可以看作一则诠释"和为贵"的精彩标语。我们平时也经常会看到各种各样的标语，它们对宣传主张、倡导行为、制造氛围有着特殊的作用。参考示例，每名同学创作几条以"和"为主题的宣传标语，既要有较强的针对性和一定的思想性，也要讲究语言，力求形式新颖、朗朗上口。组内互相评改，选出优秀的标语在班上展示。

● 有容乃大，心境宽；以和为贵，万事顺

● 尊老爱幼，家庭和睦；亲仁善邻，社会和谐

● 和为贵，善为本，诚为先

● 和以处众，平以养心，独以思己

● 各美其美，方有个性；美人之美，自能和谐

三、班级讨论会

1. 我们在学习和生活中，不可避免地会有观点的交锋。相持不下时，有些同学会恶语伤人，最后不欢而散。思考如何从"和而不同""和为贵"的思想中汲取智慧，全班合作，制订几条"班级议事规则"。

2. 在教师指导下，选择大家都比较感兴趣的一些新闻事件为话题，在班上组织一次时事讨论会。大家以"和而不同"为理念，一起讨论问题，互相启发，共同受益。

- 将全班同学分为三组，设置三个话题，每个小组选取一个话题。
- 通过报刊、广播、电视、互联网，搜集并认真阅读与该话题有关的新闻报道及评论，仔细思考，形成自己的认识。
- 小组内讨论、交流。观点一致的同学结成伙伴，共同整理资料，深入交流，最后推荐一名同学参加时事讨论会。被推荐的同学组成该话题的时事讨论组。另外推荐一名讨论会主持人。
- 在班上举办时事讨论会。讨论会可以分三个时段，每个时段一个话题。由该话题组的时事讨论会成员及主持人共同完成。讨论时注意遵守之前制订的"议事规则"。
- 讨论会期间，主持人可根据情况，随机邀请听众参与讨论。
- 其他同学在旁听讨论会时要认真，并仔细观察讨论会成员的表现。会后，针对本次讨论会成员的表现做评点，选出你认为表现最佳的同学，并说明选他的理由。注意做到言简意赅，条理清晰，表述准确。

通过这次活动，你对中国文化中的"和"一定有了许多新的认识和理解吧？任选一个角度，写一篇作文，谈谈你的收获。

名著导读

《钢铁是怎样炼成的》　摘抄和做笔记

奥斯特洛夫斯基

　　长篇小说《钢铁是怎样炼成的》散发着那个带传奇色彩的时代急风暴雨的气息，传达了那个时代的气氛，再现了当时的战斗、痛苦和希望。

　　　　　　　　　　　　　　　　——叶尔绍夫

　　这本书在我的成长过程中有很大的影响，书中浓郁的英雄主义、理想主义、献身主义在相当长的时间里成为我精神生活最重要的支柱。

　　　　　　　　　　　　　　　　——张洁

　　"人最宝贵的是生命。生命每个人只有一次。人的一生应当这样度过：当回忆往事的时候，他不会因为虚度年华而悔恨，也不会因为碌碌无为而羞愧；在临死的时候，他能够说：'我的整个生命和全部精力，都已经献给了世界上最壮丽的事业——为人类的解放而斗争。'"

　　这段激动人心、被千千万万青年人引以为座右铭的文字，就出自苏联作家尼古拉·奥斯特洛夫斯基的小说《钢铁是怎样炼成的》。当时，奥斯特洛夫斯基已经双目失明，全身瘫痪。这部书是他强忍病痛，在病榻上历时三年写成的。

　　当一名英国记者问奥斯特洛夫斯基为什么以《钢铁是怎样炼成的》为书名时，他回答说："钢是在烈火与骤冷中铸造而成的。只有这样它才能坚硬，什么都不惧怕。我们这一代人也是在这样的斗争中、在艰苦的考验中锻炼出来的，并且学会了在生活面前不颓废。"

　　作为一部闪烁着崇高的理想主义光芒的长篇小说，《钢铁是怎样炼成的》最大的成功之处就在于塑造了保尔·柯察金这一无产阶级英雄形象。他当过童工，从小就在社会最底层饱受折磨和侮辱，后来在朱赫来的影响下逐步走上革命道路。其后他经历了一系列的人生挑战，但无论是战场上的搏杀、感情上的波折，还是工地上的磨难，都没能使他倒下，反而使他更加勇敢，更加坚强。在伤病无情地夺走他的健康，使他不得不躺在病床上的时候，他仍然不向命运屈服，而是克服种种困难，拿起笔来，以顽强的毅力开始写作，以另一种方式践行着他生命的誓言。可以说，在保尔·柯察金的身上凝聚着那个时代最美好的精神品质——为理想而献身的精神、钢铁般的意志和顽强奋斗的高贵品质。

人到底应该怎样度过自己的一生？怎样才能在革命斗争中成长为真正的钢铁战士？保尔·柯察金以自己的实际行动做出了响亮的回答。

这部小说在艺术上也取得了很高的成就。它写人物以叙事和描写为主，同时穿插内心独白、格言警句、书信和日记等，使人物形象有血有肉。书中的环境描写也相当出色，语言简洁优美，富有表现力。阅读这部名著，不仅可以感受保尔·柯察金巨大的人格魅力，从中汲取精神养料，还可以借鉴写作技巧，提高自己的文学鉴赏水平。

读书方法指导

读书时，除了在书中直接圈点批注，还可以做一些摘抄和笔记。摘抄和笔记可以帮助你重温作品内容，积累语言和素材，有助于提升阅读质量，提高分析能力、鉴赏能力和写作能力。

摘抄，就是选摘、抄录原文中的词语、句子、段落等。摘抄的内容可以是原作的典故、警句、精彩片段等，一般要根据学习、借鉴的意图来选择。比如阅读《钢铁是怎样炼成的》，为了提高写作能力，可以摘抄生动传神的细节描写片段、启迪思想的名言警句、写作技巧运用精彩的语段；为了分析评价主人公保尔·柯察金，可以摘抄描写他言谈、举止、心理的片段以及各种人物对他的评价。

做笔记，主要有写提要和写心得两大类。写提要，就是用精练的语言准确概括全书的基本内容或要点。所写的提要，可以是语意连贯的成段文字，可以是按层次和要点罗列的提纲，还可以是能够体现作品结构思路的图表。写心得，则是记录自己阅读时产生的体验、感想，如自己对于作品的内容（人物、情节、情感、思想等）和形式（写作技巧、行文风格、艺术特色等）的看法和评价，以及自己在阅读中生发的新认识、新观点。可以针对作品整体发表感想，也可以只对其中某一个或几个点进行发挥和评论。

在阅读实践中，摘抄和做笔记常常是结合在一起的，有时几则摘抄连贯起来便可以成为作品的提要，有时摘抄之后可以随手记下读书心得。

摘抄和笔记除了自己使用之外，也可以供他人学习参考。比如，为一部作品写的提要可以让没读过的人了解作品，好的读书心得可以启发、引导他人的阅读，都会产生推介和指导阅读的功效。有些读书笔记，如明末清初顾炎武的《日知录》、现代人钱锺书的《谈艺录》，都已经成了经典著作。

摘抄和笔记还可以在开放的网络平台（如校园网站、班级论坛）上发表，与别人交流分享。

专题探究

全班共同阅读《钢铁是怎样炼成的》，然后根据各自的兴趣选择自己喜欢的专题，也可以另外选择专题，分小组进行探究。

专题一：保尔·柯察金的成长史

主人公保尔·柯察金在历练与考验中成长，这就如同钢铁在烈火与骤冷中铸造。历练与考验，坎坷与起伏，锻造了保尔·柯察金的信念和意志。梳理保尔·柯察金的成长史，列出提纲，给这位主人公写一个小传。

专题二：保尔·柯察金的形象分析

保尔·柯察金具有顽强的毅力、永不言败的精神，他在重重磨砺下无所畏惧，意志如同钢铁般坚强。然而除此之外，他还有温情的一面，比如书中写到的亲情、恋情、友情等。阅读的过程中，摘录一些能够体现保尔·柯察金性格不同侧面的句子和段落，结合这些具体描写，对主人公丰满的艺术形象做出分析。

专题三："红色经典"的现实意义

有人认为，文学要有所担当，"红色经典"作为特定历史时期的精神路标，其厚重感与担当意识在现实生活中依然富有生命力。你怎么看待"红色经典"的现实意义？带着这个问题阅读这部具有年代感的作品，在阅读的过程中留意自己的感受，看看其中哪些段落让你读来觉得困惑，哪些段落依然新鲜刺激，哪些段落令你深受触动。详细记录这些心得体会，整理成读书笔记，并与同学探究"红色经典"的现实意义。

自主阅读推荐

路遥《平凡的世界》

这是一个平凡的世界。苦难是作品的底色。小说的主人公孙少安、孙少平兄弟，只是两个平凡的农民，一个扎根乡土，一个走进城市。他们没有什么传奇的经历，也没有什么辉煌的业绩，自始至终只能在艰难的生活中奋勇挣扎；甚至生活刚有起色，新的磨难又接踵而至。

这是一个温暖的世界。生活中的磨难没能掩盖生活中的温情。无论是醇厚的父子之爱、纯洁的同窗友情、美好的同事情分、淳朴的乡邻情谊，还是刻骨铭心的纯真爱情，都在荒寒的人生底色上涂抹上温情的色彩，温暖着读者的心。尤其是孙少平和田晓霞之间近乎柏拉图式的爱情，纯真甜美，带着理想主义的浪漫色彩，让人心醉。

这又是一个不平凡的世界。主人公都有着一颗不平凡的心，他们选择了勇敢地面对磨难，把磨难当作前进的动力。哥哥孙少安不安于现状，立志改变乡村贫困的面貌。他自强不息，坚韧不拔，虽经历爱情的挫折和事业上的重重困境，却始终不改初衷，最终成为村里的"冒尖户"。弟弟孙少平渴望走出乡村，融入现代文明。虽然物质生活是贫困的，精神上也是孤独的，但他有着强烈的自尊，决不因生活的苦难而苟且行事，自甘堕落，始终追求着精神世界的完善。他接连遭受了爱情的伤痛和身体的毁伤，意志却没有被摧毁；他选择了平平淡淡的生活，却收获了心灵的高贵和精神的富足。

这是一本很适合青少年读的书，不仅仅因为它是作者路遥的呕心沥血之作，也不仅仅因为它获得过茅盾文学奖，更因为书中描写的个人奋斗和自我精神追求，充满了正能量，会让我们明白生活的意义何在，以及我们应该如何面对未来的生活。

罗曼·罗兰《名人传》

我们都喜欢英雄，崇拜英雄。呼唤英雄是人类永恒的情结。说起英雄，我们可能首先会想到冲锋陷阵、保家卫国的战士，锄强扶弱、伸张正义的好汉；其实那些敢于直面人生的苦难，甘愿牺牲个人幸福为人类创建精神家园的人，同样也是令人景仰的英雄。20世纪初，物质至上的观念统治一切，功利主义压倒了精神追求，社会陷入自私自利、污浊与腐败的气氛中，"人类喘不过气来"。有感于此，法国文学家罗曼·罗兰创作了《名人传》（又称《巨人三传》，包括《贝多芬传》《米开朗琪罗传》《托尔斯泰传》），借为人类历史上的精神巨人立传，激励人们"打开窗子"，"让自由的空气重新进来！呼吸一下英雄们的气息"。

《名人传》中的三位精神巨人，都是人类历史上极富天才且贡献至伟的人物。读过传记，我们会发现，原来这些令后辈高山仰止的巨人，心中也埋藏着那么多不为人知的痛苦：贝多芬在创作的鼎盛期，遭受到失聪的打击，爱情的缺失、经济的窘迫、侄子的不肖也让他痛苦不已；米开朗琪罗的优柔寡断，使得他一生都在受人摆布，日常琐事的牵绊，影响着他创作才华的发挥；列夫·托尔斯泰拥有财富和地位，却始终处在内心追求与现实处境的矛盾之中。但伟人之所以成为伟人，就在于他们即使面对各种困苦，心中也始终坚守着自我实现的理想。就像贝多芬"以痛苦讴歌欢乐"那样，扼住命运的咽喉，去勇敢地抗争。

作者在《米开朗琪罗传》中说："伟大的心灵有如峻拔的山峰，……我并不认为一般人都能生活在高山之巅，但不妨一年一度登高礼拜。他们可以在那儿更新肺部的气息和脉管中的血液。在高处，他们会感到更加接近永恒。待回到人生的平原，他们将满怀勇气面对日常的搏斗。"这或许就是今天我们阅读此书的意义所在。

题破山寺后禅院[1]　　常　建

清晨入古寺，初日照高林。
曲径通幽处，禅房[2]花木深。
山光悦鸟性，潭影空人心[3]。
万籁[4]此都寂，但余钟磬[5]音。

一个阳光明媚的早晨，诗人漫步山林，进入古寺。大自然的宁静、禅院的清幽使他心情愉悦，充分感受到风景的美好，体味到远离尘世的快乐。曲折的小路，幽深的花木，肃穆的禅房，构成一种静谧祥和的氛围，似乎可以洗濯身心，放飞灵魂。那山光水色、鸟语花香、清潭倒影，都会引起无限遐思，让人参悟这空寂中的禅意。此时，仿佛万籁俱寂，只有古寺的钟磬声，回应着大自然的静默无语，诗人淡泊的情怀、内心的感悟也随之起伏飘扬，袅袅不绝。

① 选自《全唐诗》卷一百四十四（中华书局1960年版）。常建，生平不详，可能是长安（今陕西西安）人，唐代诗人。破山寺，即今江苏常熟虞山北麓兴福寺。禅院，寺院。
② 〔禅房〕僧人住的房舍。
③ 〔山光悦鸟性，潭影空人心〕山中景色使鸟怡然自得，潭中影像使人心中俗念消失。人心，指人的世俗之心。
④ 〔万籁（lài）〕指各种声响。
⑤ 〔钟磬（qìng）〕寺院诵经，敲钟开始，敲磬停歇。

送友人[6]　　李　白

青山横北郭，白水绕东城。
此地一为别，孤蓬[7]万里征。
浮云[8]游子意，落日[9]故人情。
挥手自兹去[10]，萧萧[11]班马[12]鸣。

诗人写送别的环境景色，透着轻快明丽的气息。这里有山的青绿，有水的流转，一静一动，相映成趣。山的静默，水的远去，也暗示了离别的情景。接着诗意转为抒情，感叹今此一别，友人即万里游荡，无所归依。以后的"他"会像浮云一样飘忽不定，现在的"我"如落日依恋大地一样与友人难舍难分。不过，当离别真的来临时，也只能潇洒地挥一挥手，任凭"班马"嘶鸣。马犹如此，人何以堪？全诗至此悠然而止，意蕴深远，令人回味不尽。

⑥ 选自《李白集校注》卷十八（上海古籍出版社1980年版）。
⑦ 〔蓬〕蓬草，枯后根断，常随风飞旋。这里比喻即将孤身远行的友人。
⑧ 〔浮云〕比喻游子行踪不定。
⑨ 〔落日〕比喻难舍之情。
⑩ 〔自兹去〕从此离去。兹，此。
⑪ 〔萧萧〕马嘶叫声。
⑫ 〔班马〕离群的马。

卜算子·黄州定慧院寓居作^①　苏　轼

缺月挂疏桐^②，漏断^③人初静。谁见幽人^④独往来，缥缈孤鸿影。　　惊起却回头，有恨无人省^⑤。拣尽寒枝不肯栖，寂寞沙洲^⑥冷。

苏轼因写诗获罪，幸免一死。被贬到黄州后，仍惊魂未定，梦寐惶恐。这首小词即作于初到黄州时，描写了深夜独自漫步时的所见所感。"缺月""疏桐""漏断"，构成了一个寂寞清冷的世界。万物销声匿迹，只有"孤鸿"隐约掠过。这"孤鸿"若有若无，也许就是他心灵的投影。词的下片，词人与"孤鸿"合二为一。写鸿"惊起""有恨"，写鸿"拣尽寒枝不肯栖"，独宿荒冷沙洲，表现了作者心境的孤独和志趣的高洁。这首词托物写怀，是作者对人生的反省，也是对理想的坚守。

① 选自《东坡乐府笺》卷二（上海古籍出版社2009年版）。卜算子，词牌名。定慧院，一作"定惠院"，在黄州东南。苏轼初到黄州，一家人寓居定慧院中。
② 〔疏桐〕枝叶稀疏的桐树。
③ 〔漏断〕指深夜。漏，指漏壶，古代计时的器具。深夜壶水渐少，很难听到滴漏声音了，所以说"漏断"。
④ 〔幽人〕幽居之人。
⑤ 〔省（xǐng）〕知晓。
⑥ 〔沙洲〕江河中泥沙淤积而成的小块陆地。

卜算子·咏梅^⑦　陆　游

驿外断桥边，寂寞开无主。已是黄昏独自愁，更着^⑧风和雨。　　无意苦^⑨争春，一任^⑩群芳妒。零落^⑪成泥碾作尘，只有香如故。

陆游对梅花情有独钟，歌咏梅花的诗词有一百多首。这首小词以内心独白的抒情方式咏梅，表现了词人孤高傲世的情怀。词的上片，写梅花的生存状况。从生长环境的恶劣，到无人欣赏的寂寞，再到暮雨黄昏的愁苦，写出梅花处境的悲凉。词的下片，写梅花的品格精神。梅花无意争抢春光，却惹来众多凡花俗朵的嫉妒。但它与众不同的是，纵使凋落于地，马踏车碾成为尘埃，仍是香气不改，精神犹在。陆游一生在仕途上屡遭排斥，怀才不遇。他所写的梅花，正是他独立不倚、坚持正义的人格写照。

⑦ 选自《放翁词编年笺注》下卷（上海古籍出版社2012年版）。
⑧ 〔着（zhuó）〕遭受。
⑨ 〔苦〕苦苦，极力。
⑩ 〔一任〕任凭。
⑪ 〔零落〕凋谢。

后 记

　　《义务教育教科书　语文》（七～九年级）由教育部组织编写，北京大学中文系温儒敏教授担任总主编。

　　王宁、张联荣、柳士镇、方智范、梁捷、郑桂华、陈双新、王岱等审查专家提出了很多宝贵的修改意见，对教科书的修改完善给予了悉心指导和倾力帮助。在教育部的组织下，广大一线优秀教师反馈了很多意见和建议，保证了教学的适切性。在试教试用过程中，我们得到了重庆市、江苏省、湖南省、陕西省等省（市）教育科学研究院（所）、教研室及一线教师的大力支持，他们的意见和建议为教科书的进一步完善提供了保障。

　　人民教育出版社承担了教科书的编辑出版工作，在组织编写、试教试用等方面给予了全方位的协助。人民教育出版社中语室全体同仁始终是教科书编写的中坚力量。感谢吕敬人等为本套教科书的整体设计提供了艺术指导，感谢丁永康为本套教科书"读读写写"栏目书写了硬笔书法范字。刘晓翔承担本书的美术设计工作，李晨、查家伍、李旻为本书绘制插图，吕旻、李宏庆为本书设计封面。此外，对教科书的编写、出版提供过帮助的同仁和社会各界朋友还有很多，在此一并表示诚挚的谢意。

　　期盼使用本套教科书的广大师生、家长提出宝贵意见，我们将集思广益，不断修订，使教科书趋于完善。

联系方式
电　　话：010-58758618
电子邮箱：jcfk@pep.com.cn

编者

2017年11月